Cet ouvrage a été publié en langue anglaise sous le titre original:
LESSONS FOR LIFE
Published by Kwality Publications, Houston, Texas
John F. Demartini at The Chiropratic Family Center
13155 Westheimer, suites 108-109-110,
Wind Chimes Center, Houston, Texas 77077 (713) 556-1234

Dépôts légaux: 3e trimestre 1990
Bibliothèque nationale du Québec
Bibliothèque nationale du Canada

Conception graphique de la couverture:
SERGE HUDON

Version française:
BERNARD GAGNON

Photocomposition et mise en pages:
COMPOSITION MONIKA, QUÉBEC

ISBN: 2-89225-174-5

Réflexions sur la vie

Les éditions Un monde différent ltée
3400, boulevard Losch, bureau 8
Saint-Hubert (Québec)
Canada J3Y 5T6
(514) 656-2660

Ce livre est dédié à toutes les personnes:

Qui aspirent à une vie plus remplie et plus valorisante.

Qui recherchent la santé, le bonheur, la prospérité et le succès.

Qui tâchent d'obtenir la paix de l'esprit et la vérité.

Qui désirent connaître les secrets et les bienfaits de la vie.

Remerciement spécial:

À DIEU, CETTE MYSTÉRIEUSE PUISSANCE D'AMOUR QUI NOUS GUIDE

Un mot au lecteur

Ce livre s'adresse à nous tous. Il contient plusieurs réflexions sur la vie. Tout comme dans la vie nous avançons pas à pas, ce livre doit être lu, une réflexion à la fois. Chaque réflexion est un tout, même si elle fait partie intégrante d'une expérience globale de vie. Pour bénéficier au maximum de ce livre, il est nécessaire de revenir sur chacune des réflexions et de les approfondir. Plus nous les considérons, plus leur essence nous fait croître, car ce sont là des réflexions que nous devons tous intérioriser tôt ou tard. Ce livre est une aide pour nos âmes.

Rendons grâce pour ces réflexions sur la vie.

Table des matières

Préface

Ne serait-il pas merveilleux de fureter dans une librairie et d'y découvrir à l'arrière, sur une tablette poussiéreuse, un livre enchanté qui accorde richesses et merveilles à quiconque l'ouvre? Un livre miraculeux qui révèle instantanément les mystères de la vie et qui divulgue une formule secrète apte à nous transformer sans douleur en des êtres rationnels et autodéterminés?

Réflexions sur la vie n'est pas ainsi. Les génies ne vivent pas dans l'encre d'imprimerie et, même si c'était le cas, soyez assurés qu'ils demanderaient à être rémunérés pour leurs services. Nous savons cela des lois de la physique; nous ne pouvons extraire quelque chose de rien et toute action entraîne une réaction que nous appelons souvent «conséquence». Nous devenons nous-mêmes les graines de notre évolution, et nous ne pouvons espérer récolter des pommes rouges si nous semons des graines de chardon.

Réflexions sur la vie ne défie pas les lois de la nature en remplissant nos âmes d'une généreuse moisson qui ne nécessite pas de semences. Ce livre peut toutefois vous aider à reconnaître les bons grains, pour ensuite les planter et les nourrir et finalement en amasser tous les fruits afin de bénéficier d'une vie pleine de richesses et de satisfactions. Voici les vérités; il appartient au lecteur de faire le reste.

La vérité est partout autour de nous. Dans les rides du visage d'un vieil homme, dans la perfection de chaque brin d'herbe, dans la distance entre la réalité et la perception, dans le moment où un rayon doré de soleil éclate en un arc-en-ciel lumineux, la vérité est là qui se balance à portée de notre main. Les vérités de *Réflexions sur la vie* ne sont pas nouvelles; elles sont intemporelles et existent dans chaque chose. Elles ne sont pas non plus particulières à ce livre; nous les retrouvons inscrites dans plusieurs volumes. En fait, en tournant une à une les pages de ce livre, le lecteur «découvrira» des vérités connues de chacun de nous depuis toujours.

Le fait que nous possédions déjà ces vérités n'enlève rien à leur valeur. Il est bien certain que deux et deux font quatre, mais pouvons-nous expliquer pourquoi? Avons-nous déjà énoncé la réponse pour ensuite l'appliquer à d'autres données de l'existence? C'est seulement quand nous aurons extrait ces parcelles de connaissance des poussières de notre subconscient pour les exposer à la pure lumière d'un examen judicieux que nous pourrons en concevoir toute la beauté. Et nous nous rendrons enfin compte que les réponses à toutes nos questions, l'accomplissement de tous nos désirs, ont toujours été en notre pouvoir.

La mission de ce livre est d'aider le lecteur à reconnaître ces trésors cachés, à les débarrasser de leurs toiles d'araignée et à les placer dans leur contexte avec d'autres vérités afin d'en évaluer l'importance et d'en comprendre l'application.

Tout au long de notre vie, nous rencontrons des guides qui nous dirigent dans cette voie intérieure qu'est la découverte. Nous pouvons soit suivre leurs lanternes, soit trébucher dans l'obscurité. C'est bien là notre choix, mais tôt ou tard, de quelque façon que ce soit, avec ou sans l'aide des autres, nous devrons arriver à notre destination. *Réflexions sur la vie* peut aider à parcourir cette route, mais il suppose une participation active du lecteur.

«DIEU m'a donné un rêve
Il m'a motivé à atteindre un but
Et Il continuera à me stimuler
vers le succès.»

L'origine inconnue du Tout

Il existe au fond de chacun de nous une vénération innée pour cet Inconnu omniscient, omnipotent et omniprésent qui évolue à des années-lumières de notre portée et de notre compréhension.

En fait, nous ne sommes que des taches en comparaison de ce mystère de la vie, cette origine de toutes les espèces. Il s'agit de l'alpha et de l'oméga, de l'essence de nos débuts et de nos fins. Il est multidimensionnel et se trouve autant à l'intérieur qu'à l'extérieur de tout phénomène existant. Tout comme la matière inerte ou vivante a besoin de cette essence spirituelle pour vibrer, cette essence a besoin de la matière vibratoire pour s'exprimer.

La vie n'est qu'une leçon de conscience de soi et du divin, elle nous fournit un moyen de savoir qui nous sommes, pourquoi nous sommes ici, d'où nous venons et où nous allons. Même si plusieurs individus nient cette existence divine, ils sont souvent les premiers à la reconnaître leur dernière heure venue.

Acquérir cette connaissance est le but intime de tous, car elle nous offre notre véritable héritage divin: la paix de l'esprit. Consacrer nos vies à cette connaissance nous donne droit à d'infinis bienfaits.

Ce qui existe persiste; ce qui persiste existe

En examinant de près toute forme de création, nous voyons surgir une toile faite de l'interaction de multiples particules temporaires. Ces particules, avec leurs caractéristiques ondulatoires, subissent un changement incessant en se joignant et se disjoignant afin de former de nouvelles particules.

Cette annihilation du vieux et cette génération du neuf sont l'expression même de la vie, et se produisent en toutes choses. Certains de ces changements se font en quelques fractions de seconde; d'autres prennent des milliards d'années à s'accomplir. Ces formes en perpétuel changement n'ont parfois que des existences passagères. Les galaxies ne sont pas plus permanentes que les quarks d'un atome; les deux ne sont que des manifestations temporaires des créations vivantes. Que l'annihilation prenne la forme d'un trou noir ou du big-bang, chacune de ces théories n'aura qu'une durée relative dans le temps.

La seule existence qui persiste est la Vérité, et Dieu seul représente la Vérité. Seul Dieu, le créateur de toutes choses, existe et persiste. Notre façon de percevoir Dieu n'a pas d'importance, mais il importe d'apprécier la persistance de son existence. La volonté de Dieu et son souffle de vie façonnent toute l'énergie et la matière en une infinité d'expressions de la vie. C'est Dieu qui demeure au-delà de chaque trou noir et en deçà de chaque big-bang. C'est Dieu qui existe éternellement, et persiste au-delà de l'alpha et de l'oméga de la vie.

Toutes les fois que nous recherchons quelque chose de vrai, de fiable, quelque chose qui existe et persiste vraiment, que nous le sachions ou non, nous recherchons

Dieu. La Vérité est notre but, et aussi le but le plus grandiose de la vie, car elle nous offre un chemin pour sortir des entraves de l'illusion. Nous pouvons tous trouver la Vérité en Dieu.

Rendons grâce pour ce qui existe et persiste

«Seul Dieu, le créateur de toutes choses,
existe et persiste.»

La divine substance vitale

Les reflets des personnes que nous renvoie le miroir de notre chambre paraissent bien découplés et les mains que nous serrons semblent fermes et réelles. Mais lorsque nous distillons cette apparente solidité jusqu'à sa force de vie, nous trouvons une essence vivante, intangible et spirituelle qui surpasse les particules vibratoires; une essence que nous ne pouvons qu'appeler «vie».

Cette essence vitale suit un mouvement mystérieux et semble être sous la gouverne d'un contrôle plutôt précaire — peut-être celui d'une volonté divine, porteuse de vie, ou d'un souffle moteur. C'est cette essence spirituelle qui est responsable de toutes les expériences de la vie, car sans elle rien ne pourrait se manifester sous une forme tangible. Nos sens extérieurs ne perçoivent qu'une parcelle de ce que la vie a à offrir. Nous ne voyons ni n'entendons pousser les plantes, pourtant elles poussent. Nos sens ne fonctionnent qu'avec des substances tangibles relativement inertes; ne laissant l'essence spirituelle des choses perceptible seulement par les hautes sphères plus intuitives de nos cerveaux.

Bien sûr, nous pouvons aussi partager cette essence avec d'autres, car il nous est possible de la diriger à l'aide de notre volonté. Avec elle, nous pouvons ajouter de la vie à toutes les formes vivantes, ou à celles que nous devrions aimer. Comme cette essence vitale relève de notre volonté autant que de celle de Dieu, notre responsabilité évidente est de tout aimer de la vie, de nous aimer entre nous et, toujours, d'aimer Dieu. Reconnaissons cette responsabilité et paticipons au don de la vie.

Rendons grâce pour cette substance vitale

«Nos sens extérieurs ne perçoivent qu'une parcelle de ce que la vie a à nous offrir.»

Qui sommes-nous?

Nous devons tous, tôt ou tard, faire face à la question: Qui sommes-nous? Certains prétendent connaître la réponse, d'autres disent en être incertains, et d'autres encore se disent toujours en quête d'une réponse. Il semble que ce désir d'une plus grande compréhension quant à cette question soit bien présent au fond de chaque cœur.

Plusieurs d'entre nous, nous identifions peu judicieusement aux expériences temporaires comme notre nom, notre âge, notre sexe, notre occupation, notre religion, notre nationalité, nos habiletés particulières, nos relations familiales, notre groupe social ou politique...Cette liste est sans fin et suffit à nous démontrer aisément le pourquoi d'une recherche de notre véritable identité.

Même si plusieurs d'entre nous savons intuitivement que nous sommes plus que ce que nos sens perçoivent; peu d'entre nous regardons au-delà de la façade extérieure afin d'entrevoir qui nous sommes vraiment. Les circonstances extérieures ne constituent en rien notre identité; elles ne sont que des illusions temporaires.

Comme nous sommes beaucoup plus que ce que nos sens perçoivent, et que nous savons intuitivement qu'au-delà de la mort se trouvent notre royaume infini, notre enfer ou nos vies ultérieures, nous devrions donc réaliser que nous sommes éternels. Par le biais de notre infinité, ou de notre âme, nous faisons partie de la Divinité. Nous n'avons qu'à ouvrir nos cœurs et à éprouver ce qui se trouve à l'intérieur de nous et tout ceci nous sera révélé.

La réussite dans cette recherche est une garantie de santé, de bonheur et de bénédiction. Aimer le Tout, ou la Divinité, c'est en aimer la multitude de parties et d'âmes. Et cette énorme recherche ne sera accomplie que par la réalisation et la dévotion; ainsi pourrons-nous renoncer à notre fausse identité basée sur les expériences temporaires, et enfin véritablement connaître qui nous sommes.

La vie ne doit pas être vécue selon le reflet du soleil sur l'océan, mais selon la vérité qui émane directement des rayons du soleil.

∽ *Rendons grâce pour ces parcelles d'éternité appelées âmes* ∽

Notre vrai moi se dévoile petit à petit

Socrate, ce vieux et sage philosophe, a déjà dit: «Connais-toi toi-même». Un vaste océan de sagesse se trouve dans cette brève, mais magnifique, citation.

C'est sans doute une vertu que de connaître nos forces, nos faiblesse, nos motifs et notre tempérament réel, car à l'intérieur de cette connaissance réside un secret grandiose de santé, de succès et de bonheur. Toutefois, la connaissance de notre véritable moi demande beaucoup de temps, car le temps et la sagesse vont de pair. Chaque journée ne nous révèle qu'une parcelle de cette vérité et nous dépendons des autres pour que s'accomplisse cette révélation. Sans les autres, nous n'avons pas de miroir qui puisse réfléchir une partie de notre véritable moi caché.

Notre enveloppe corporelle extérieure cache un esprit intérieur vibrant. Il s'agit d'un moi rempli d'âme, qui aspire à l'amour, la bonté et la justice; un moi qui est sage, généreux, affectueux et plus encore. Ce moi intérieur, qui gouverne tout en étant gouverné, est toutefois souvent enfermé et enchaîné dans notre vaste être extérieur illusoire et son activité est restreinte par les portes que nous avons nous-mêmes fermées et par les cordes que nous avons nous-mêmes nouées.

Mais ce moi intérieur ne cesse de progresser d'un état inférieur de désillusion à un état supérieur de sagesse et de courage; avec du temps et de l'éducation, il sera dévoilé à une existence extérieure. Il est de notre devoir de reconnaître sous son voile ce potentiel inné et d'en accepter la pureté, la sincérité, et la voix dont le murmure nous guide. Il nous faut aussi être patients, car il se dévoile petit à petit.

Rendons grâce pour notre véritable moi

«Toutefois, la connaissance de notre véritable moi demande beaucoup de temps, car la sagesse et le temps vont de pair.»

Nous sommes ce que nous croyons être

Nos incroyables cerveaux ne cessent d'affecter nos structures physiques et émotionnelles.

À l'aide de modes de transmission physiologique, comme notre magnifique système nerveux, nos cerveaux règlent nos activités cellulaires. Chaque cellule réagit physiquement aux fluctuations des longueurs d'onde mentales et même le plus petit changement dans notre état mental provoque une altération subtile à l'intérieur de notre corps.

Nos processus de pensée et d'imagination agissent indirectement comme ajusteurs de nos processus physiques. Lorsque nous croyons avoir froid, notre corps se prépare à une conservation de la chaleur. Lorsque nous nous imaginons être affamés, nos sucs digestifs entrent en jeu. Ces mêmes systèmes de contrôle sont responsables de plusieurs de nos apparences physiques, états biochimiques et perspectives mentales et émotionnelles.

En fait, tout ce que nous imaginons peut prendre la forme d'un bienfait ou d'un malheur selon l'intention ou la nature de cette pensée. Le fait de volontairement nous percevoir comme des personnes saines et prospères nous aide à transformer ces bienfaits en réalités. Si nous nous imaginons comme des êtres maladifs, ratés et perdants, nous ouvrons les portes à de telles ténèbres. Nous devons prendre conscience que si nous pensons ordures, nous obtiendrons des ordures. Notre imagination est de nature créatrice, et nous transmettons littéralement dans le réel toute image que nous avons de nous-mêmes.

Par conséquent, il est certes de notre responsabilité d'avoir de bonnes pensées, non seulement pour nous, mais pour les autres. Si ce que nous devenons ne correspond pas à ce que nous aurions souhaité, regardons l'image que nous nous étions faite de nous-mêmes. Pourquoi ne pas s'imaginer fort, sain, spirituel, charmant, ingénu ou prospère? Nous pouvons facilement devenir ainsi en changeant notre façon quotidienne de penser.

Nous devons être reconnaissants de la part de créativité mentale qui nous est allouée et nous devons apprendre à l'utiliser sagement, car notre ciel et notre enfer sont assurément en partie entre nos mains. Nous sommes ce que nous pensons. Nous devenons ce que nous imaginons.

Rendons grâce pour notre imagination

«Notre imagination est de nature créatrice, et nous transmettons littéralement dans le réel toute image que nous avons de nous-mêmes.»

Le journal de notre introspection

Chaque jour, nous fréquentons l'université de la vie. Afin de réussir tous les examens et d'être diplômés de cette école supérieure, nous devons observer de près notre vie quotidienne.

Chaque jour de notre vie est rempli d'expériences qui nous offrent une myriade de leçons éducatives et d'occasions de grandir. Des fourmis qui arpentent le sol suivant une voie choisie jusqu'aux oiseaux qui chantent et planent parmi les arbres, chacune de nos expériences nous ouvre à une meilleure compréhension du sens de la vie et peut, en fait, nous enseigner plus que tout texte écrit.

Mais comme tous les étudiants, nous devons participer à toutes les activités quotidiennes prévues à notre programme si nous voulons profiter de l'occasion que nous avons de nous éduquer. Plus nous observerons attentivement les expériences de nos vies, plus nos vies nous combleront.

Il est sage de garder, sur papier ou cassette, un journal de bord relatant nos expériences de vie quotidiennes. Ceci nous permettra de réunir ensemble les pièces de ce casse-tête qu'est notre vie. En rapportant toutes nos expériences, même nos rêves qui, comme toutes les choses dans la nature, fournissent des indices à ceux qui sont réceptifs, nous prendrons rapidement conscience des leçons offertes par la vie. Nous serons étonnés du nombre de leçons que nous avions sans cesse laissées passer.

Commençons à garder un journal de nos expériences quotidiennes afin de gravir peu à peu l'échelle de la vie. Prenons note des détails de chaque événement de notre journée. Ensuite, procédons à son évaluation afin d'arriver à une compréhension plus nette des leçons et de la direction de la vie. Ceci sera un des meilleurs investissements pour notre éducation à l'université de la vie.

Soyons reconnaissants pour l'université de la vie qui nous est ouverte et pour les merveilleux moyens d'avancement qu'elle nous offre.

Rendons grâce pour une telle éducation

«Chaque jour, nous fréquentons l'université de la vie.»

Le temps: une illusion

Le temps est ce que nous en faisons. Il peut être l'un de nos meilleurs alliés comme l'un de nos pires ennemis, compte tenu de notre façon de le percevoir. Comme le disait Einstein: «Lorsque nous attendons un train, 20 minutes nous paraissent durer deux heures, mais assis en compagnie de notre dulcinée, deux heures ne semblent durer que deux minutes.

Le temps est relatif. Si nous pouvions voyager à la vitesse de la lumière, le temps serait faussé, tout comme la matière exerce une certaine influence sur le temps.

Le temps amène le changement. Il peut nous aider à devenir sages, ou peut-être ne fera-t-il que nous marquer jusqu'à notre mort. C'est bien cette chose mystérieuse appelée «temps» qui nous fait vieillir et grisonner.

Le temps n'est qu'une illusion. Il sous-entend une séparation entre les événements, et que sont les événements sinon de la matière et de l'espace énergisés? Mais l'énergie, la matière et l'espace sont également relatifs et, par conséquent, ne sont qu'illusions. Si l'un de ces paramètres est illusion, les autres le sont également car le temps, l'énergie, la matière et l'espace ne peuvent être séparés tout comme l'un ne saurait être défini sans les autres.

Plusieurs d'entre nous avons expérimenté des états seconds pendant la prière ou la méditation: absence de temps, d'espace, de poids et sensation de vide. En expérimentant ces états, plusieurs d'entre nous avons posé la question de la réalité de notre existence extérieure. Nous nous sommes demandé s'il ne résidait pas dans notre cerveau une dimension intérieure, aussi actuelle que la réalité extérieure et où le temps, la matière, l'énergie et l'espace n'existent pas tels que nous les concevons. Est-il possible que nos vies ne soient elles-mêmes que des illusions, que des vacillements d'un moment dans le temps et l'espace?

Le temps est différent pour chacun de nous; personne ne l'expérimente de la même façon. Pour certains, chaque jour n'est qu'un moment; pour d'autres, ce moment est infini. Le temps est un élément nuisible pour ceux d'entre nous qui ne percevons la vie que par notre cerveau inférieur, avec tous ses sentiments et toutes ses douleurs. Mais pour ceux d'entre nous qui vivons notre vie sous la gouverne de nos cerveaux supérieurs, prenant part à l'essence de la vie sans souffrance, le temps n'existe plus.

Même si le temps est relatif et n'est qu'une illusion, il est d'une merveilleuse utilité. Il nous fournit un cadre de référence et un outil de comparaison. Sans l'illusion du temps, nous ne pourrions pas manger, nous lever, nous coucher ou faire quoi que ce soit d'autre avec une saine régularité. Notre rythme de vie dépend du temps et nous avons besoin d'un rythme de vie. Pendant que nous demeurons enchaînés à cette terre et que nous expérimentons la vie à l'aide de nos cerveaux inférieurs et de nos sens extérieurs, profitons de cette illusion appelée «temps».

Rendons grâce pour l'illusion du temps

Se détourner des illusions, vers la réalité

Williams James prétendait que la plus grande découverte de sa génération était que les êtres humains peuvent changer leurs vies en modifiant leur attitude d'esprit. Oui, une telle liberté de choix nous a bénis, une liberté de choisir les attitudes d'esprit qui gouvernent nos vies: nos buts, nos croyances, nos perspectives, nos façons de penser.

Cette liberté de choix fournit à chacun de nous l'occasion de détourner nos esprits d'une vie et d'une pensée sombres et de les orienter vers la vérité et le bonheur. Si nous demeurons syntonisés sur les basses fréquences de cette radio qu'est notre esprit, nous ne pourrons que réagir passivement devant la vie, mais si nous nous syntonisons sur des fréquences élevées, nous pourrons commencer à prendre l'initiative. La capacité d'agir plutôt que de réagir devant les expériences quotidiennes offre un moyen d'atteindre la paix: changer les choses par l'action.

Bien sûr il est plus sage de nous débarrasser des réactions impulsives, face au quotidien. Nous devons prendre en charge nos vies en cherchant des façons plus réfléchies d'agir. La sagesse, c'est aussi de connaître les divines lois de la nature; le courage, c'est de les utiliser. Pour les trouver, nous devons chercher, pour les rencontrer, nous devons frapper à la porte, pour les utiliser nous devons les demander. Une fois que l'essence des divines lois de la nature aura été incorporée à notre être, notre syntonisateur mental s'ajustera à des fréquences de plus en plus élevées et nous écouterons les émissions de la vérité.

Rendons grâce pour notre initiative

La parole juste

Ne dire aux autres et à nous-mêmes, par la grâce de Dieu, que la vérité et seulement la vérité: voilà un des plus beaux cadeaux que nous puissions offrir. La plupart d'entre nous avons déjà vécu ce que c'est que de dire autre chose que la vérité. En ce domaine, il n'y a pas de demi-mesures, pas de régions grises, et les mensonges innocents n'existent pas.

Les effets de la vérité et des mensonges sont ancrés dans nos êtres, car nous sommes bien les bénéficiaires ou les victimes de leur usage. L'interprétation qu'en feront les autres n'est qu'une partie des conséquences encourues; nous savons si nous disons la vérité. Du plus profond de notre être, notre conscience nous le chuchote. À chaque fois que nous racontons un mensonge, ce moi intérieur nous amène dans des situations de plus en plus bizarres, issues du mensonge originel, et qui nous signifient que nous devons en rendre compte ou en accepter les conséquences. Nous paierons la rançon de la peur, du remords, de la dépression, ou de l'accroissement du stress, de la pensée chancelante, ou de la perte de la paix de l'esprit. De toute façon, le mensonge originel devra être corrigé ou dévoilé.

Si nous voulons la paix de l'esprit, nous devons éliminer ces mensonges. Pour les éliminer, nous devons rechercher la vérité. Il s'agit là de la plus grande de nos occupations, car si nous ne connaissons pas la vérité, comment pourrons-nous en parler? Nous devons dire la vérité, et nous connaîtrons les bienfaits.

Rendons grâce pour la vérité

Utiliser l'intuition comme guide

À l'intérieur de notre être réside notre moi supérieur, une entité intuitive possédant d'incroyables facultés mentales. De cette partie de notre être rebondissent des impressions reliées à la connaissance: l'intuition, les «tripes» ou la puissance psychique.

À chaque fois que, dans des situations quotidiennes, nous agissons de façon inappropriée, c'est cet esprit supérieur qui, via des connexions complexes avec notre moi extérieur, nous avertit du danger. À l'aide d'un réseau nerveux spécial parcourant notre corps, il nous prévient que nous nous sommes égarés et nous redirige vers le comportement correct. Lorsque nous sommes en état de relaxation et en contact avec ce moi mental supérieur, la plupart de nos actions sont accomplies sans erreur.

Reconnaître ce potentiel supérieur, c'est faire un premier pas vers une prise de contact avec lui. Alors si nous nous plaçons fidèlement sous sa gouverne, nous pourrons connaître une vie remplie d'aisance. Notre intuition est toujours là pour nous guider vers le bonheur, si nous ne laissons pas nos esprits inférieurs entraver ses directives et nous perdre.

Se fixer comme but de se mettre en contact avec notre intuition supérieure est une des attitudes qui peut le plus porter fruit, car cela pourrait bien signifier la différence entre succès et échec ou bonheur et désespoir. Et c'est cette lumière supérieure de sagesse qui fait briller devant nous nos bienfaits.

Rendons grâce pour notre intuition

Nos guides, les larmes de joie

Si, d'un œil observateur, nous jetons un regard en arrière sur notre vie, nous remarquons des cycles qui oscillent de bas en haut. De la même façon que nous nous éveillons et dormons, nous expérimentons des périodes cycliques de joie et de tristesse. C'est en partie notre patience qui déclenche nos sourires joyeux et faciles et notre impatience qui fait jaillir nos larmes lugubres.

Même s'il ne semble pas y avoir de moyen facile d'éliminer ces cycles, il y a une façon de les relier, ou de les équilibrer. Le pouvoir merveilleux qu'est l'humilité et la divine larme de joie en sont les clés et ces états sont de véritables bénédictions. À chaque fois que nous connaissons un bonheur tel que les larmes nous viennent aux yeux, nous avons momentanément relié et rétabli l'équilibre entre les hauts et les bas de nos cycles.

Cette expérience est un guide divin qui nous mènera vers une vie plus remplie et plus gratifiante. Les larmes de joie représentent l'union spontanée entre les hauts et les bas de la vie. Elles dénotent un équilibre des fonctions nerveuses et hormonales et expriment un état d'harmonie physique, chimique et mentale. Elles sont l'alpha et l'oméga des processus de guérison en cours et le maintien de cet état est l'incarnation de la santé.

Ce sont ces larmes de joie qui pavent notre chemin vers le véritable succès et le véritable bonheur. Si nous utilisons les larmes de joie comme guides divins dans notre vie quotidienne, nos vies prendront un nouvel éclat, dégageront une vibration magnétique qui nous attirera plusieurs bienfaits. Nous devons noter quels sont les actes, les faits ou les services qui suscitent ces larmes de joie et continuer à nous y engager quotidiennement jusqu'à ce qu'ils se fondent à notre être. Par opposition, si nous ne sommes pas heureux de ce que nous avons, nous devons faire quelque chose de différent.

Les larmes de joie nous guideront vers les actions à prendre, mais c'est à nous d'agir.

Rendons grâce pour nos guides,
les larmes de joie

Tu récolteras ce que tu auras semé

Plusieurs lois naturelles de vérité défilent devant nous chaque jour. Certaines sont immédiatement et infailliblement connues, d'autres ne peuvent être que pressenties intérieurement. Nous utilisons celles qui se sont révélées bénéfiques pour l'humanité; nous prenons des années à accepter et comprendre les autres.

Parmi toutes les grandes vérités, il y en a une qui domine de sa suprématie — une vérité qui contient toutes les autres et sur laquelle toutes celles-ci sont basées. Elle a été surnommée la règle d'or, la loi de cause à effet, et elle est résumée dans les sept mots suivants: «Tu récolteras ce que tu auras semé».

Nous devons comprendre que tout ce que nous projetons dans la vie — une pensée, un mot, une action — revient toujours au bout du compte, tel un boomerang, à son point de départ. Souvent, des énergies positives ou négatives que nous avons projetées reviennent vers nous roulant, comme une boule de neige, avec une amplitude et une force d'impulsion magnifiées. Nous pourrions tout simplement dire:

Si nous semons l'amour et les bienfaits, nous récolterons l'amour et les bienfaits.

Si nous semons la haine et la laideur, nous récolterons la haine et la laideur.

Si nous semons la compassion et le dévouement, nous récolterons la compassion et le dévouement.

Si nous semons le mensonge et la tricherie, nous récolterons le mensonge et la tricherie.

Si nous désirons recevoir les riches bienfaits de la vie, nous devons comprendre que nous sommes responsables de leur acquisition. Les largesses ne viennent qu'à ceux qui les ont gagnées ou méritées. Elles ne proviennent pas de la chance; elles sont plutôt les récompenses de nos bons mots ou de nos bonnes actions envers les autres; ce sont de vivantes gratifications dorées pour avoir suivi la règle d'or. Nous devons agir pour les autres comme nous aimerions qu'eux agissent pour nous, car c'est seulement de cette façon que nous pourrons recevoir.

Il s'agit sûrement là d'une sainte vérité.

Rendons grâce pour chaque cause et effet

Accepter la responsabilité des malheurs comme des bienfaits

Lorsque la vie se déroule doucement, nous nous donnons facilement le crédit de ses bienfaits. Mais lorsque la vie s'est égarée ou qu'elle s'est endurcie au contact du découragement, nous avons tendance à nous dissocier de la cause de tant de malheurs et à jeter le blâme sur tout sauf sur nous-mêmes. Cette sélection des responsabilités prépare la voie pour un mode de vie de type «yo-yo».

Chacun des événements quotidiens de notre vie, qu'ils soient bénis ou maudits, relève d'une relation de cause à effet avec nous-mêmes. Si nous acceptons humblement la responsabilité de nos bienfaits comme de nos malheurs, nous aplanissons les côtés difficiles de nos vies. Nous pouvons sûrement faire quelque chose pour les hauts et bas de nos vies, à condition de nous reconnaître comme en étant la cause.

La prochaine fois que nous connaîtrons un des moments décourageants de l'existence, évaluons ce que nous avons fait; remettons en ordre les mots, les faits et les gestes. Reconnaissons-nous responsables de nos actions et utilisons chaque expérience comme une leçon d'humilité et de force et comme un moyen d'admettre nos propres agissements. Une fois cette responsabilité acceptée, nous pourrons aisément demander l'aide divine afin de savoir comment agir lorsque nous aurons à affronter ultérieurement une expérience.

Rendons grâce pour la responsabilité divine

Toutes les expériences sont riches en bienfaits

Il arrive souvent des moments dans nos vies où les circonstances extérieures semblent mornes et tristes. Mais lorsque nous nous mettons à regarder ces expériences qui nous semblent si horribles d'un point de vue plus profond et plus intérieur, nous commençons à réaliser qu'elles sont des bienfaits déguisés.

Nous voyons la plupart de nos expériences vécues avec un regard teinté d'illusions. Si nous cherchons le pire, nous le trouverons; si nous cherchons le meilleur, nous le trouverons également. Nous considérerons le verre à demi vide ou à demi plein selon la convergence de nos perceptions.

Lorsque des circonstances difficiles semblent s'acharner sur nous, nous devons être persuadés que c'est dans un but positif. Elles sont remplies d'informations enrichissantes nous concernant et contiennent des suggestions à propos de ce que nous devons actuellement faire. Souvent ces situations nous parleront d'une façon telle que nous nous demanderons si nous ne sommes pas menés par une force qui nous dépasse.

Nous devons donc écouter tous les messages que la vie nous transmet. Si nous sommes dans le creux de la vague, même momentanément, nous devons être attentifs à ce qui se passe autour de nous et à notre façon d'y réagir. Nous devons écouter ce que nous disons aux autres et ce qu'ils nous répondent, et porter aussi attention à la manière dont le message est livré. Bien souvent nous disons aux autres exactement ce que nous voudrions entendre. En vérité, ce même principe s'applique à nos actions qui sont guidées de l'intérieur par notre moi supérieur afin que nous découvrions la personne que nous sommes vraiment.

Examinons donc attentivement nos actions, nos paroles, nos gestes,car ils nous ramèneront sûrement vers notre bonheur. C'est une vraie bénédiction, de constater que le bonheur ne garde son déguisement que pour ceux qui ne le cherchent pas. Changeons l'ajustement de notre lentille de façon à voir briller les bienfaits de la vie.

Rendons grâce pour chaque bénédiction

Nous obtenons ce que nous voulons dans la vie en aidant les autres à obtenir ce qu'ils veulent

Pour obtenir du dévouement et des récompenses, nous devons en donner; plus nous en donnerons, plus nous en recevrons. Ce principe universel de cause à effet est d'une extrême importance pour notre vie de chaque jour. Lorsque nous ne recevons pas toutes les bénédictions que nous désirons, c'est seulement que nous n'avons pas donné aux autres tout ce qu'ils désirent. Si, par exemple, nous voulons voir nos affaires prendre de l'expansion, nous devons exercer pleinement nos occupations et donner spontanément aux autres de notre temps, nos idées, nos produits et nos services.

Lorsque nous aidons les autres à atteindre leur but et à récolter leurs récompenses, nous parvenons à une certaine paix de l'esprit qui agit comme un enthousiasme magnéthique et attire ce que nous avons sainement désiré. Cette attraction magnétique est directement proportionnelle à notre don de nous-mêmes.

Toutes les fois que nous sentons que nous n'obtenons pas assez de la vie, demandons à quelqu'un comment nous pourrions l'aider à réaliser ses rêves. Nous pouvons tout au moins lui assurer que son but sera atteint. Les compliments que nous faisons aux autres augmentent l'estime qu'ils ont d'eux-mêmes et les aider de cette façon augmente également notre propre estime personnelle. C'est de ce carburant dont nous avons besoin pour persévérer dans nos aspirations.

Si nous espérons que nos rêves se réalisent sans la volonté de travailler avec les autres ou de les servir, nous serons désappointés. Nous sommes comme des transformateurs d'énergie qui ne peuvent accepter qu'une quantité d'énergie égale à celle qu'ils dégagent. L'initiative et le dévouement pour les autres sont deux grandes énergies; l'initiative et le dévouement pour l'être divin sont deux des plus grandes énergies.

Si jamais nous sommes en état de stagnation et que nous blâmons les autres pour cet état pesant et dépressif, nous perpétuons cet état. Nous devons regarder dans notre propre direction pour en trouver la cause; c'est le premier pas à faire. Ensuite, nous devons nous remettre en mouvement pour les autres, car ceci aura pour effet de nous relancer dans notre propre marche et de nous projeter vers nos rêves.

Rendons grâce pour l'occasion d'aider les autres

Le don de soi d'abord

Lorsque notre vie nous semble moins qu'accomplie, c'est probablement que nous ne donnons pas assez de nous-mêmes aux autres. Plus nous servons les autres, plus les riches avenues de l'existence s'offrent à nous.

Le don de soi peut prendre plusieurs formes, mais ce qui est avant tout important, c'est l'intention derrière le geste. Si le motif est strictement de donner pour recevoir, alors le résultat peut en être amoindri, sinon indésirable. Mais si le motif est de donner pour l'amour d'autrui, s'il provient de notre être supérieur, alors les bénédictions venant du don de soi, fait avec amour, seront à portée de la main. L'une de ces bénédictions est un état de contentement et de paix de l'esprit.

Si nos affaires ou notre mariage sont perturbés, si notre vie sociale ou spirituelle n'atteint pas la plénitude désirée, alors imaginons une forme de don de soi et posons le geste merveilleux qui rendra ces facettes de nos vies riches et remplies.

Donnons plus de nous-mêmes dans chaque domaine de notre existence et nous verrons se dévoiler devant nous les multiples bienfaits de la vie. Allons vers les autres et servons l'humanité, et les bienfaits surabonderont certainement.

Rendons grâce pour le don de soi

Aider les autres par la charité

Se donner à un autre avec amour sans en attendre une multitude d'avantages est une forme de charité inconditionnelle. En réalité, le don de soi ne peut exister sans être suivi d'une quelconque compensation, car toutes les bonnes actions ou services ont des retombées bénéfiques sur le donneur. Cela vient de la loi de cause à effet.

Certains individus rendent service par besoin de la reconnaissance publique, d'autres pour obtenir des déductions fiscales et d'autres encore pour des raisons publicitaires. Vus de l'extérieur, ces gestes semblent être charitables, mais les retombées miraculeuses d'une véritable charité venant de l'intérieur ne sont possibles que lorsque le donneur conserve son anonymat.

Il peut nous sembler étrange que les plus grands bienfaits du don ne surviennent qu'au moment où personne ne connaît le donneur. D'ailleurs, l'un des plus grands de tous ces bienfaits, la paix de l'esprit, n'est pleinement obtenue que lorsque la charité est offerte de cette façon.

La plus grande charité à manifester est l'amour inconditionnel. Idéalement, personne ne sait qui envoie cet amour ou qui en bénéficie; là encore, le secret agit comme un aimant qui attire des récompenses remplies d'amour et de merveilles. Ces récompenses bénies inspireront des mobiles, des raisons et de l'enthousiasme qui pousseront davantage vers la charité. Les bienfaits engendrent les bienfaits et la véritable charité est un bienfait.

Rendons grâce pour la charité

Le refus de la médiocrité dans nos occupations

La plupart d'entre nous avons, à un moment ou à un autre, accepté de travailler dans des conditions indésirables, que ce soit pour des raisons financières, pour des avantages quelconques, par commodité, par insécurité ou par manque d'affirmation. Choisir une occupation pour l'une de ces raisons, c'est demander notre propre malheur et s'exposer à une cohorte d'autres émotions négatives. Il est vrai que chaque travail offre des bienfaits déguisés, mais bien souvent le bienfait que nous recevons est la notion que nous devons vraiment faire ce que nous voulons et arrêter d'accepter ce qui est moindre.

La plupart d'entre nous fournissons excuse sur excuse pour rationaliser le fait que nous demeurions enchaînés à une carrière non gratifiante. Mais au-dedans de nous, nous détestons notre travail quotidien et nous fantasmons sur ce que nous voulons vraiment faire. Pourquoi ne pas changer? Nous avons tous le potentiel de faire ce pour quoi notre esprit est disposé et ceci inclut un changement d'occupation.

Ce changement nécessite l'application de toutes les réflexions sur la vie. Nous devons prendre conscience que la plupart des choses, sinon toutes, sont possibles. Si nous voulons continuer à vivre dans la médiocrité, nous n'avons qu'à continuer à nous limiter avec des excuses non fondées comme le manque d'argent, d'éducation, de contacts ou de qualifications. Aussi longtemps que nous invoquerons des excuses pour ne pas pouvoir, nous ne pourrons pas. Mais lorsque nous reconnaissons ces blocs psychologiques comme tels, alors nous pouvons réaliser nos rêves en nous fixant des buts puissants et en les poursuivant avec foi, patience, persistance et confiance en soi. En nous fixant une nouvelle occupation, en nous concentrant sur ce but avec toute notre attention, en posant tous les gestes nécessaires pour prendre notre élan et, en persévérant vers cette réalisation, nous récolterons les gratifications de l'exercice d'une occupation par vocation.

Un emploi heureux amène avec lui un état de joie, de motivation et d'enthousiasme. Nous pouvons bondir du lit chaque matin avec un vif désir d'aller travailler et anticiper notre travail plutôt que de l'appréhender. Il s'agit là d'un merveilleux bienfait, d'un signe que nous voguons de nouveau. Nous avons tous des rêves, et nous possédons tous l'habileté de les réaliser. Nous devons maintenant apprendre à agir selon nos réflexions sur la vie, car elles nous attireront nos rêves. Ne nous limitons pas et n'acceptons aucune médiocrité dans nos occupations. Choisissons nos rêves.

Rendons grâce pour nos rêves

«Aussi longtemps que nous invoquerons
des excuses pour ne pas pouvoir,
nous ne pourrons pas.»

Les paroles positives créent des rêves; les paroles négatives les détruisent

Parler, tout comme manger, s'abreuver ou dormir constitue un véhicule vers la croissance et la vie.

Chaque parole que nous lançons peint une image sur le canevas de notre esprit ou de celui des autres. Ces portraits de nos expressions verbales agissent comme des épreuves d'impression pour nos rêves. Le tout se déroule de la façon suivante: chaque mot que nous exprimons génère une onde vibratoire qui nous parcoure puis s'échappe de nous; chaque cellule de notre être reçoit ces résonances et répond en fonction de leur demande. Ces réactions cellulaires déclenchent des réactions secondaires et tout notre être en arrive finalement à vibrer selon les énergies de la parole originellement émise. Et ces énergies se propagent dans tout l'univers afin d'affecter tous ceux qui sont concernés par nos rêves. Les vibrations charismatiques, magnétiques que nous observons chez les individus enthousiastes ne sont autres que ces énergies.

Chaque parole, accompagnée de ses significations subtiles, de ses intentions et de ses inflexions, possède sa propre longueur d'onde — tout comme une onde sonore. Les mots dont la signification est positive déclenchent des résultats vibratoires positifs; les mots dont la signification est négative déclenchent des résultats vibratoires négatifs.

Par conséquent, notre parole peut créer ou détruire nos rêves, et nous devons être sélectifs quant au choix de nos mots. Jetons un regard attentif sur les mots qui attirent ou éloignent nos rêves.

Expressions de destruction ou de répulsion des rêves:

triste, mauvais;
ne peux pas, ne fais pas, ne veux pas, n'ai pas;
non, ne, mais, peut-être;
bon, O.K., comme ci comme ça, moyen.

Expressions de création et d'attraction des rêves:

content, heureux;
peux, fais, veux, ai;
oui, sûrement, certainement, absolument;
excellent, magnifique, fantastique.

Rendons grâce pour les mots créatifs

Le silence est d'or

Nous avons tous fait face à une forme de critique ou de condamnation verbale de la part des autres. La critique peut parfois prendre une forme artistique et être considérée de nature constructive. Cependant, elle est la plupart du temps l'expression négative et destructrice d'un individu belliqueux et peut être considérée comme une forme subtile d'énergie négative. Tous les mots que nous prononçons ont le pouvoir vigoureux et magique des actions constructives et destructives. Les formes d'énergie positives et négatives mènent à des résultats opposés mais procèdent de mécanismes similaires. L'énergie positive se manifeste lorsque nous exprimons des pensées élogieuses et constructives à l'égard des autres ou de nous-mêmes; l'énergie négative est générée lorsque des mots durs et destructifs sont prononcés. Les expressions positives encouragent notre bonheur et nos multiples bienfaits extérieurs; l'usage continuel d'expressions négatives nous mène sur une route de triste désespoir.

Les mots peuvent se matérialiser en une réalité tangible. C'est pour cette raison qu'il est important de n'exprimer que des pensées positives, constructives à chaque fois que nous ouvrons la bouche pour parler. Autrement, nos mots qui sont remplis d'énergie peuvent nous détruire ou détruire autrui.

Pour bâtir à l'intérieur de nous-mêmes un état de bonheur, il est important de garder le silence à chaque fois que nous n'avons rien d'heureux ou d'élogieux à dire. Proférer en ces moments des paroles négatives nous attirera des résultats négatifs, mais demeurer silencieux ou n'exprimer de façon positive que des paroles strictement de louange générera des récompenses positives et bénies.

En fait, alors que nous apprenons à n'utiliser que des paroles positives, il est préférable de demeurer silencieux si nous n'avons que des pensées négatives. Nous exprimer en termes négatifs et destructifs pourrait attirer sur nous les malédictions de ces paroles négatives concrétisées.

Ne chantons et parlons qu'en utilisant des paroles positives et élogieuses. Laissons abonder ces paroles avec toutes nos connaissances; autrement, demeurons silencieux car le silence, dans ce sens, est d'or. La mer est attirée par la lune froide et silencieuse, non par la voix brûlante du soleil.

Rendons grâce pour le silence

«Tous les mots que nous prononçons ont le pouvoir vigoureux et magique des actions constructives et destructives.»

Plus un arbre portera de fruits, plus on lui lancera de pierres

À travers les âges, la plupart des grands leaders ont eu à subir de nombreuses formes de critiques. La plupart des grandes découvertes ont d'abord été dédaignées, ridiculisées, et raillées. La grandeur a attiré en général sa contrepartie jalouse et il semble que la plupart des créateurs et des rêveurs, à moins d'être demeurés silencieux ou inconnus, ont toujours tôt ou tard retrouvé à leurs pieds des destructeurs de rêves.

Après avoir reconnu ce principe naturel, ils ont accueilli la critique comme un signe de succès sans se fâcher ou être sur la défensive. Ils vivent de leurs convictions profondes tout en étant persuadés qu'elles porteront fruit, agissant comme meneurs de notre société. Lorsque des créateurs passent à côté de ce principe, c'est qu'ils ont succombé aux pierres lancées par les autres et ont finalement perdu leur fruit. Plus une fleur est belle, plus de gens veulent la cueillir pour eux-mêmes. Il faut qu'un individu soit fort pour admirer la fleur et continuer à la cultiver afin de la donner aux autres.

Pour être un créateur, ou quelqu'un qui rehausse grandement la vie des autres, nous devons accepter la critique. Nous ne voyons, sentons, entendons ou ressentons que les choses extérieures qui se retrouvent aussi à l'intérieur de nous-mêmes. Lorsque nous critiquons ou que nous lançons des condamnations à autrui, c'est nous que nous visons en réalité. Reconnaissons cela et nous porterons des branches remplies de fruits.

Rendons grâce pour notre habileté à accepter la critique

Les oiseaux d'un même plumage se rassemblent

L'une des choses que nous ferons le plus sûrement dans la vie c'est de changer, mais c'est aussi l'une des choses les plus difficiles à faire; il nous faut des tripes pour identifier la médiocrité dans nos vies et pour reconnaître que nous devons changer, et il nous faut de l'énergie et de la détermination pour transformer la médiocrité en excellence. Mais si nous nous associons avec des personnes qui ont déjà atteint l'excellence, nous pourrons nous transformer plus facilement.

Pour devenir plus humble, il faut rechercher la compagnie des gens humbles. Pour devenir riche, il faut rechercher la compagnie des gens riches. Pour parvenir à l'excellence, il faut rechercher la compagnie de ceux qui excellent. On ne peut se mettre les mains dans un pot de colle sans que celle-ci n'adhère. On ne peut non plus s'associer avec des gens sans que leur influence n'agisse sur nous. Si nous voulons changer une partie de nous-mêmes qui nous semble médiocre, nous devons rechercher les conseils d'une personne expérimentée. Si nous voulons devenir sages, nous devons nous associer à ceux qui sont sages; si nous voulons savoir, nous devons nous associer à ceux qui savent. Les oiseaux d'un même plumage se rassemblent, et si nous voulons planer avec les aigles, nous ne devons pas voler avec les dindes.

Rendons grâce pour les autres

La solitude: une illusion

Se sentir seul vient d'une erreur de perception, car la solitude n'est qu'un état de conscience attristé par l'inconnu. Nous vivons parmi les étoiles et la vaste voie lactée; nous n'avons qu'à regarder en dedans ou autour de nous pour apercevoir nos amis et notre famille. Toutefois, si nous fermons notre regard intérieur à cet amical océan de vie, si nous limitons la communication qu'avec des formes strictement physiques, en négligeant nos facultés supérieures, nous aussi nous expérimenterons des sentiments de solitude.

Edison proclamait: «Lorsque l'électron vibre, l'univers s'ébranle». Nous interagissons et communiquons constamment avec des formes de vie latentes et vivantes et ce, de façon subtile. Nous avons tous senti le guide ou l'oreille attentive qui nous accompagne. Ce guide divin consent toujours à discuter à propos des illusions solitaires de de la vie, et nous n'avons qu'à ouvrir nos portes infinies de communication afin de découvrir la vaste foule de parents et amis.

La prochaine fois que nous glisserons vers la solitude, tournons-nous vers notre réseau illimité de communication et commençons à interagir avec la galaxie. C'est à nous d'ouvrir ces réseaux et de syntoniser ces canaux. La solitude vient toujours de nous-mêmes, et si nous changeons de station elle disparaîtra. La solitude n'est qu'une illusion.

Rendons grâce pour la galaxie

L'amour est plus profond que la chair

Les premières impressions que nous recevons des personnes lors de nouvelles rencontres ne représentent au mieux que des portraits transitoires de leurs véritables identités. Tout être vivant ou latent subit des changements nécessaires; même les cellules vivantes et les atomes qui les forment sont constamment en état de métamorphose — naître, mourir, construire, détruire. Nous ne sommes jamais semblables d'un moment spatio-temporel à l'autre.

Malheureusement, plusieurs d'entre nous ont subi une attirance pour un autre individu qui provenait en partie d'une impression sensorielle séduisante — sa voix, son odeur, ses manières ou sa beauté visuelle — et qui émanait aussi en partie des polarités sexuelles opposées et magnétiques. Ce sont ces tentations sensorielles extérieures qui font souvent de nous les proies de l'amour.

L'amour basé sur de telles parcelles transitoires de l'être pourrait ne tenir qu'à un fil. L'amour doit être basé sur une communication et une connaissance plus profonde entre deux âmes, une estime de la véritable identité de l'autre. Les premières impressions que nous recevons des autres sont souvent décevantes, mais le temps lève graduellement leur voile et permet à leur subtile nature intérieure de rayonner d'un amour qui est beaucoup plus profond que la chair.

Éveillons-nous aux profondeurs de l'amour, et accordons-nous à sa nature la plus profonde. Il nous faut apprécier la véritable dimension de l'amour.

Rendons grâce pour l'amour

Si tu les suis, ils s'enfuiront; si tu t'enfuis, ils te suivront

La plupart d'entre nous recherchons un partenaire ou un compagnon du sexe opposé. Cette quête semble longue et fastidieuse, particulièrement pour ceux qui s'engagent tout juste sur cette voie. À la lumière de nos expériences, plusieurs d'entre nous en sont arrivés à la conclusion que plus ils cherchaient, moins ils trouvaient. Il semble que moins nous cherchons, plus nos buts se rapprochent de nous. À première vue, cela semble paradoxal. Mais si nous examinons la nature subtile de la recherche d'un partenaire, nous découvrons rapidement qu'elle suit la loi naturelle d'attraction et de répulsion.

Plusieurs d'entre nous se souviennent d'un être spécial, homme ou femme, que tout le monde aimait et désirait, mais qui était habituellement aussi le plus inaccessible. Ces personnes semblaient jouer au chat et à la souris, mais en réalité elles comprenaient, consciemment ou inconsciemment, que plus il est facile de nous attraper, moins nous sommes désirables. Comme dans le cas de l'argent, ce qui circule le plus est ce qui est le plus facile à obtenir. Ces personnes savent que si elles fuient les attaches, plusieurs intéressés les suivront et que si elles suivent, plusieurs intéressés les fuiront.

Souvent, nous souffrons de vivre une relation parce que nous poussons alors que nous devrions tirer. Nous essayons de pousser l'un vers l'autre les partenaires d'une relation en restreignant l'espace de chacun d'eux; nous devrions plutôt «agrandir» la relation afin d'augmenter le domaine de chaque partenaire. Ceux d'entre nous qui sont insécures se propulsent souvent eux-mêmes vers la perte ou la séparation que nous craignons en essayant de forcer une relation. Nous devons littéralement fuir les gens à qui nous accordons une importance particulière si nous voulons qu'ils soient attirés vers nous et qu'ils nous suivent. Car si nous suivons, ils fuiront. Cette polarisation, c'est la loi d'attraction et de répulsion. La prochaine fois que nous chercherons un partenaire, mettons-nous sous la gouverne divine, et ne bousculons rien. Il existe un plan pour chacun de nous. Forcer n'amènerait que des tracas. Si nous gagnons de l'enthousiasme à propos de la vie et de ses bienfaits, nous attirerons sûrement ce partenaire spécial.

Rendons grâce pour notre partenaire spécial

Les relations personnelles ultimes

Pendant des milliers d'années, la plupart des êtres humains se sont querellés avec leur conjoint, car ils avaient perdu de vue le but premier de la relation. Autant les hommes que les femmes passent leur vie à rechercher la flamme qui leur est jumelle, la parfaite âme sœur et certains croient l'avoir trouvée, mais c'est rarement le cas, car la vie n'est qu'un arrêt temporaire sur la route qui mène vers notre demeure, et elle est là pour que nous apprenions.

Certains d'entre nous ont choisi de faire la route seuls, croyant en eux-mêmes et en leur liberté. C'est une route fatigante. De l'unité de Dieu, qui est neutre, nous vient une dualité magnétique; la plupart des choses de la nature contiennent un esprit positif et de la matière négative. Au-dedans de notre être réside un esprit et un corps matériels négatifs et une âme spirituelle positive. Lorsque ces deux essences s'unissent, une spiritualité neutre s'accomplit. C'est seulement lorsque notre moi supérieur se débarrasse de ses qualités animales inférieures pour voltiger avec notre âme que les véritables flammes peuvent se rejoindre. Mais lorsque, comme c'est le cas dans le mariage, nous croisons temporairement les chemins d'autres âmes, gardons bien à l'esprit le but premier de la relation de façon à ce qu'elle existe dans un état de bénédiction et de bienveillance.

Dans nos relations, suivons les règles suivantes:

1. Recherchons le royaume de Dieu en premier lieu, et laissons Dieu trouver pour nous notre conjoint;
2. Laissons se générer le magnétisme de la vie, et notre conjoint sera attiré vers nous;

3. Reconnaissons que le plus difficile à apprivoiser est celui que nous recherchons le plus, et que le plus facile à attraper est celui que nous recherchons le moins;
4. Ayons la connaissance de notre voie et de celle de Dieu, et résistons au mariage jusqu'à ce que notre conjoint obtienne la même connaissance;
5. Sachons que l'amour n'est pas pour l'un et l'autre; l'amour est pour Dieu;
6. Souvenons-nous qu'aucun de nous ne possède l'autre, mais que chacun se possède lui-même;
7. Sachons que la paix entre nous vient de la paix à l'intérieur de nous et que Dieu seul est la paix;
8. Donnons, partageons et soyons patients envers ceux que nous aimons et adorons.

De même que, sur la plage, deux grains de sable rejetés par la vague se frottent momentanément l'un à l'autre, deux êtres s'unissent momentanément puis se séparent, pendant que leurs âmes évoluent.

Rendons grâce pour les relations personnelles

Transformer nos tensions en bienfaits

Plusieurs de nos plus magnifiques expériences peuvent superficiellement prendre l'apparence de terribles tensions. Quelquefois, nous nous embrouillons tellement dans d'épaisses forêts que nous ne voyons pas les arbres magnifiques de la vie.

Nous devenons souvent tendus, anxieux et irritables alors que nous devrions en réalité être calmes, exaltés et reconnaissants. Plusieurs d'entre nous connaissons des périodes où la vie semble soudainement se bâtir tout d'un coup, et nous sentons grandir les douleurs qui accompagnent cette croissance. Ce peut être alors que nous achetons une nouvelle voiture, que nous nous marions, que nous nous querellons avec notre épouse et nos enfants ou que nous construisons de nouvelles installations pour notre entreprise. Peut-être sommes nous inquiets du paiement de la bague en diamants, de la nouvelle garde-robe, du voyage à Hawaï, des cadeaux de vacances et des factures qui arrivent subrepticement alors que notre entreprise vaut un quart de ce qu'elle valait lorsque nous avions acheté tous ces articles.

Jetons un bon coup d'œil sur ces «tensions» et voyons s'il n'y a pas moyen de les transformer en bienfaits.

Premièrement, une voiture est sûrement un bienfait, malgré la tension qu'entraîne le fait de prendre une décision aussi majeure et de régler tous les détails qui en résultent. En plus de diminuer la crainte d'une panne sur l'autoroute, acheter une nouvelle voiture nous donne un sentiment de confort et d'accomplissement.

Se marier est l'une des plus grandes bénédictions que qui que ce soit d'entre nous puisse connaître car cela nous offre l'occasion de découvrir qui nous sommes vraiment, nos forces et nos faiblesses. Le mariage est source d'amour, de consolation, de support, de camaraderie et est une voie qui mène à plusieurs buts et plusieurs occasions, et cela pour la vie. Le mariage est riche en bienfaits. Et le fait de se quereller avec notre épouse et nos enfants est un signe que nous connaissons une période de transition, que nous progressons de l'insécurité à la sécurité, de l'immaturité à la maturité. Ces querelles représentent simplement les douleurs grandissantes qui accompagnent le changement de l'égoïsme au partage; ce sont sûrement là des bienfaits. Et c'est sûrement un bienfait lorsque notre entreprise a grandi au point que nous ayons besoin d'installations plus vastes et plus spacieuses. Les nouvelles installations et les nouveaux équipements nous permettent de suivre le marché de façon plus efficace et il en résulte une plus grande augmentation de notre chiffre d'affaires. Et c'est fantastique que nous ayons du cœur au ventre pour accomplir un tel but.

Payer pour une bague en diamants, une nouvelle garde-robe, un voyage à Hawaï et des cadeaux de vacances, ce sont tous des signes de notre prospérité. La bague nous a offert un moyen d'exprimer notre amour pour nous-même ou pour l'être aimé qui la portera et c'est un symbole de durabilité et d'élégance. La nouvelle garde-robe témoigne de notre bon goût et de notre style et c'est une façon pour nous de communiquer au monde qui nous sommes. Le voyage nous offre un temps pour relaxer et visualiser nos buts. Les cadeaux sont des expressions de notre amour et des occasions de donner et de recevoir. Et tous les comptes inattendus ont une fois de plus éveillé notre conscience aux idées, produits et services qu'ils représentent. Ils aident à créer un nouveau vide financier où pourront être accumulées les offrandes de l'univers riches et illimitées. Quels bienfaits!

Même la crainte d'un hécatombe financier est un bienfait, car elle nous fournit une raison de reprendre contact avec le divin par la prière et la méditation. Elle construit notre force et nous enseigne que, quelque difficile que soit la vie, le divin nous sortira toujours de l'embarras lorsque nous abandonnerons nos craintes.

Comme nous le voyons maintenant, toutes les tensions de la vie ne sont que des investissements et sont, en fait, véritablement des bienfaits. Il suffit simplement d'ouvrir les yeux et de jeter un regard différent. Soyons reconnaissants d'une telle simplicité.

Rendons grâce pour les tensions

Lever les yeux vers la vie

La plupart d'entre nous sommes allés dans un magasin où l'on photographiait des enfants. Si nous avons été attentifs, nous avons peut-être remarqué que le photographe tenait un objet au-dessus du niveau des yeux de l'enfant afin d'attirer son attention et de le faire sourire. C'est un fait connu depuis plusieurs années que si les yeux d'une personne sont levés vers le haut, et surtout vers la gauche, elle est heureuse. Mais si les yeux penchent vers le bas, surtout à droite, la personne est triste. N'oubliez pas: les yeux sont le miroir de notre âme.

Même le moindre mouvement des yeux modifie la station sur laquelle est branché notre système mental émetteur-récepteur ce qui, à son tour, transforme toute notre expérience.

Observez seulement le changement de position de nos yeux lorsque nous pensons. Produisons une pensée de tristesse et remarquons comment nos yeux se placent. Ensuite, changeons cette position et essayons de recréer exactement cette même pensée. Non, nous ne pouvons pas; mauvais poste. Mais retournons à la position initiale de nos yeux, et fort probablement, nous pourrons alors la recréer.

Certaines des étapes offertes par la vie sont «remontantes» et joyeuses, d'autres nous font «sombrer» dans la dépression. Mais peu d'entre nous constatent que le syntonisateur qui contrôle notre accès aux stations est dans notre esprit et que nous pouvons le régir totalement.

Rendons grâce pour notre syntonisateur visuel

Utiliser notre énergie d'une façon sage et efficace

Il réside à l'intérieur de chaque atome des quantités incroyables d'énergie et en nous une multitude d'atomes. Chacun de nous est un réservoir d'énergie atomique vivante et à chacune des respirations que nous prenons, à chacune des bouchées de nourriture que nous absorbons, à chacune des pensées que nous tenons, notre énergie s'altère, se transformant d'un état en un autre à chacun des moments de notre vie. Notre volonté dirige cette énergie comme une force par laquelle nos buts se manifestent; les volontés fortes possèdent de forts pouvoirs de matérialisation. L'énergie est matière, et la matière est énergie; notre volonté peut diriger l'une comme l'autre. Nous matérialisons l'énergie et énergisons la matière.

Pour utiliser notre énergie de façon sage et efficace, nous devons la diriger à l'aide de notre volonté. Il n'est ni sage ni efficace de la gaspiller pour des affaires qui empêchent de vivre sainement, mais il est sage de l'utiliser pour le bien de tous. Il est nuisible de dépenser volontairement notre énergie à des investissements qui rapportent peu ou mal, mais il est utile à tous de la dépenser à des investissements qui amèneront des résultats élevés ou positifs.

C'est notre responsabilité d'utiliser notre énergie sagement et de vivre selon des moyens efficaces. Nous le savons quand ce n'est pas le cas; nous pouvons sentir croître en nous cette force particulière lorsque nous l'utilisons au mieux, de la même façon que nous la sentons diminuer lorsque nous ne le faisons pas. Les outils qui nous aideront sont la prière, la méditation, l'organisation, la consultation divine, le souffle de vie et toutes les autres réflexions sur la vie.

Commençons dès maintenant à utiliser ce bienfait afin d'atteindre des buts positifs avec des moyens positifs. Recherchons la consultation divine, retenons sa sagesse dans nos esprits et appliquons-la efficacement à nos actions.

Rendons grâce pour l'énergie

«Nous matérialisons l'énergie et
énergisons la matière.»

L'enthousiasme transporte les montagnes

À l'occasion, une maladie contagieuse balaie une population entière, laissant dans son sillage une horreur à jamais inoubliable.

Tout comme la maladie, l'enthousiasme est contagieux et peut s'étendre d'un océan à l'autre, contaminant tous ceux qui se trouvent sur son chemin, en dépit de leur résistance. Si notre enthousiasme est immense et que nos intentions sont sincères, nous pouvons laisser à une population entière un souvenir mémorable. L'enthousiasme possède le pouvoir de changer nos vies plus encore qu'une maladie contagieuse. Il peut nous réunir autour d'un but commun.

Néanmoins, contrairement à une triste maladie, l'enthousiasme laisse chaque personne qu'il contamine avec un sentiment de motivation, d'élévation et de bénédiction. L'enthousiasme peut nous enflammer à un point tel que nous en danserons de joie. L'enthousiasme est le signe que nous aimons ce que nous faisons et que nous croyons en ce que nous disons. Et l'enthousiasme contagieux, tout comme un lustre, peut faire étinceler la lumière sur les autres et les en embraser.

L'enthousiasme se trouve en chacun de nous, et la plupart d'entre nous en connaissons la puissance. C'est de l'amour ambulant qui dévale une montagne, prenant ainsi de l'élan. Il ne peut être arrêté. Contrairement à la superficialité et à la petitesse de l'excitation, l'enthousiasme est pénétrant et durable. Il peut franchir même les plus solides des barrières que nous ayons construites et nous remplir d'une lumière qui nous transformera en véritable néon, en un phare pour tous ceux qui nous entourent, et nous inspirera des gestes de plus grande envergure. L'enthousiasme est l'une de nos plus puissantes expressions. Lorsque nous parlons avec enthousiasme, nous vendons automatiquement aux autres nos idées, nos produits et nos services. Nos réalisations grandissent en proportion de notre enthousiasme, et celui-ci peut nous aider dans tous les aspects de notre vie. L'enthousiasme transporte les montagnes. Reconnaissons la joie et la puissance de l'enthousiasme et devenons nous-mêmes contagieux de ses qualités inoubliables. Afin de devenir enthousiastes, agissons de façon enthousiaste. Laissons les autres bénéficier de cette expression élevée de notre nature divine. Associons-nous à des individus enthousiastes et nous serons contaminés par ce cadeau de Dieu.

Rendons grâce pour l'enthousiasme

«L'enthousiasme contagieux,
tout comme un lustre,
peut faire étinceler la lumière sur
les autres et les en embraser.»

Apprendre à s'exprimer avant que les autres ne le fassent

La plupart d'entre nous avons peur de nous exprimer avant les autres. En surmontant cette crainte activement, nous ouvrons notre conscience à l'une des puissances les plus illimitées de l'existence: la parole.

La parole est un exutoire pour un incroyable potentiel créatif. Grâce à elle, plusieurs grandes vérités ont été révélées, plusieurs grands chefs ont accompli leur tâche historique. Il est rare que quoi que ce soit puisse être accompli sans que quelqu'un ne vende verbalement ses idées, ses produits ou ses services; c'est en parlant plus fermement et plus facilement que nous pourrons nous faire valoir.

En apprenant et en appliquant les réflexions sur la vie, nous pouvons exprimer aux autres notre joie. Grâce à la puissance de la parole, nous pouvons motiver nos interlocuteurs à des actions plus élevées et apporter de l'enthousiasme dans leur vie. La communication verbale nous offre le moyen de maintenir l'ordre dans nos vies, d'exprimer aux autres nos convictions et d'atteindre nos buts. Les mots servent d'exutoire aux tensions illusoires de l'existence quotidienne et peuvent adoucir notre chemin en les diminuant.

Mais certains d'entre nous ont de la difficulté à s'exprimer, et bien souvent nous retenons justement les mots que nous devrions libérer. Afin de surmonter ces craintes, nous devons nous créer des occasions de parler en utilisant chacune pour nous lever et nous exprimer devant les autres. La clé d'une expression verbale facile est de connaître son sujet, d'y croire et d'en être enthousiasmé. Il est possible que nous hésitions, croyant que nous allons nous embrouiller et nous mêler dans nos mots, mais lorsque nous reconnaîtrons que presque tout le monde partage ces craintes et aimerait s'exprimer avec confiance, notre anxiété diminuera. Il n'est pas nécessaire d'admettre publiquement nos craintes, car les gens dans l'assistance ne les connaissent ou ne s'en inquiètent que rarement. Tout simplement, ils admirent ceux qui ont le cran de se lever et de parler. Que nous nous adressions à une ou à mille personnes, les pouvoirs de l'expression verbale sont immenses. Les meneurs parlent; les suiveurs écoutent. Si nous voulons mener nos vies, nous devons apprendre à exprimer les divines paroles de la vérité. Surmontons cette crainte de nous exprimer librement et menons les autres sur notre chemin.

Rendons grâce pour la parole

Louons la voie qui nous mène au succès

L'un des plus beaux cadeaux que nous puissions offrir est l'éloge. Louanger les autres leur apporte un sentiment de gloire exaltée et déclenche un enthousiasme d'amour qui saura générer les multiples récompenses et bienfaits de la vie. Celui qui transmet l'éloge donne le point de départ à une réaction en chaîne positive, qui se réverbère sur le receveur, et met en mouvement des réactions universelles qui retournent ultimement à l'émetteur une gloire et un éloge magnifiés. C'est la loi de cause à effet: ce qui a été donné sera reçu et ce qui a été retenu ne recevra aucune récompences.

L'éloge est accompagné d'un sentiment d'appréciation. Il aide à nous motiver à des activités plus positives et souvent orientées en fonction de celui qui aura fait notre éloge. Elles peuvent prendre la forme d'éloges réciproques magnifiés. En louangeant les autres, nous les aidons à aller là où ils veulent, et ils nous aident en retour.

Nous devons nous souvenir qu'il vaut mieux exprimer nos messages à autrui en utilisant des termes élogieux et puissants plutôt que des mots négatifs qui, inévitablement, nous nuiront autant qu'à eux. La prochaine fois que nous nous sentirons frustrés par quelqu'un et que nous nous apprêterons à le lui dire, utilisons plutôt des mots d'éloge parce qu'une frustration exprimée est une frustration assumée. Les individus prospères qui ont franchi les sommets de la vie ont appris à servir les autres grâce au cadeau qu'est l'éloge. Joignons-nous à eux sur cette route bénie.

Rendons grâce pour l'éloge

En condamnant les autres, nous sabotons notre succès

Souvent, nous voyons des réclames à la télévision qui écrasent ou condamnent les idées, produits ou services des compétiteurs dans le but de promouvoir les leurs. Cette forme de publicité est peut-être temporairement efficace, mais «cogner» sur les autres ou sur leurs produits est une façon sûre de finir perdant. Il est beaucoup plus sage de démontrer simplement les qualités uniques de notre marchandise.

Condamner les autres ou leurs produits, c'est adopter une position dans laquelle nous serons atteints par les influences universelles de type négatif. Ces énergies négatives repoussent les bienfaits magnifiques de l'existence et nuisent indirectement à la vente prospère de nos produits. En plus de générer des commérages critiques, du manque de respect, des problèmes potentiels d'ordre légal et des coûts de publicité encore plus élevés, nos ressources publicitaires sont gaspillées dans une tentative de gagner un combat sans issue. À la fin, nous apprenons que condamner ne paie pas.

Si nous voulons parvenir au succès désiré, nous devons nous souvenir que nous ne pouvons obtenir ce que nous désirons qu'en aidant les autres à obtenir ce qu'ils veulent. Cette leçon ne révèle qu'une des multiples facettes de la loi de cause à effet. En désavouant les autres, ou leurs idées, leurs produits ou leurs services, nous ne faisons qu'entraver notre succès; en complimentant les autres, nous nous retrouvons avec les plus grandes récompenses. À l'aide des compliments, nous pouvons parvenir à n'importe quel succès.

Rendons grâce pour les compliments

Déléguer avec confiance

À un moment ou l'autre de notre vie, nous avons besoin de l'aide d'autrui pour réaliser leurs buts. Nous pouvons solliciter les services d'une servante, d'un tailleur, d'un docteur, d'un mécanicien, d'un ministre ou simplement d'un ami à qui nous pouvons parler. Ne serait-il pas effrayant d'avoir à tout faire par nous-mêmes. Il nous faut constater que nous avons vraiment besoin de personnes fiables.

Il arrive à l'occasion que des professionnels, dont nous avons le plus grand besoin, n'exécutent pas une tâche exactement comme nous l'aurions voulue ou aussi parfaitement que nous l'aurions désirée. Quelquefois, ils ne donnent même pas 1 % d'eux-mêmes pour satisfaire nos besoins ou encore ils n'exécutent pas le travail dans les délais prévus. Que pouvons-nous faire? S'emporter et développer du ressentiment ne règle rien, mais nous risquons de perdre ceux qui nous aident. En étant patients, affirmatifs et confiants, nous pouvons habituellement en imposer.

Apprendre à déléguer aux autres nécessite de la confiance et de la patience car il n'y a pas deux individus qui se ressemblent. Nous devons simplement avoir confiance en leur habileté et démontrer que nous apprécions l'aide qu'ils nous apportent. Un manque de confiance envers les habiletés des autres non seulement empêchera les choses de se faire, mais en plus mettra des vibrations de doute dans notre propre esprit, ce qui ne fera qu'ajouter au problème. Il est quelquefois difficile de délaisser nos tâches pour les déléguer à d'autres, mais les récompenses en sont innombrables.

Tous les grands meneurs ont eu, à travers les âges, à déléguer. Ils ont divisé leur force de travail en une hiérarchie de meneurs qui leur étaient subordonnés sous différentes responsabilités. Le grand chef déléguait avec confiance plusieurs tâches à ses subordonnés et, à leur tour, ceux-cis déléguaient à d'autres. Les grandes corporations ne pourraient exister sans la délégation des responsabilités. Tel un arbre en croissance, ils doivent se diviser en branches et ramifications de plus en plus petites afin que chaque feuille puisse accomplir une tâche spécialisée. Tout comme les arbres, nous devons déléguer aux autres.

Gardons l'esprit ouvert face à ceux qui constituent l'aide professionnelle. Ayons confiance en leur habileté et transmettons librement nos objectifs. Ne nous attendons pas à ce qu'ils fassent tout de la façon désirée; ils pourraient nous surprendre avec des façons encore plus efficaces d'accomplir la tâche. Plus nous les supporterons de notre confiance assurée, plus ils nous aideront.

Rendons grâce pour la délégation confiante

L'investissement divin

Tout comme la température, les taux d'intérêt changent de jour en jour durant toute l'année. Parce que ces taux peuvent changer à tout moment, il nous est financièrement tout aussi possible de perdre que de gagner en investissant notre capital; néanmoins, l'investissement demeure l'une des méthodes les plus communes d'obtenir la richesse.

Toute forme d'investissement basé sur un taux d'intérêt comporte des risques et des limites. Ceux qui rapportent un taux d'intérêt plus élevé amènent des augmentations respectives de risque et peut-être une perte de liquidités. Si le risque et la perte de liquidités nous sont inacceptables, il est possible que nous choisissions à la place un investissement qui rapporte moins.

Aucun des plans classiques d'investissement n'est un moyen idéal et éprouvé de parvenir tout à fait à un gain financier important. Il peut sembler impossible d'atteindre un taux d'intérêt sans risque qui rapporte un pourcentage infini et ce, tout en conservant la possibilité de toucher aux sommes immédiatement disponibles. Pourtant, ce portefeuille idéal existe. Toutefois, certains critères et conditions préalables doivent être rencontrés.

Avant d'aborder ces exigences, jetons un coup d'œil sur l'investissement lui-même. Il se nomme «investissement divin». Plus nous saurons nous le garantir, plus l'intérêt nous rapportera; et, comme il n'existe aucune limite à notre investissement, le rendement de l'intérêt en est infini. Les risques associés à «l'investissement divin» sont incroyablement minimes, car de tous les investissements connus par l'homme, celui-ci possède le bilan de remboursement positif le plus durable. Et si les liquidités sont notre objectif, alors cet investissement l'emporte sur tout le reste étant donné qu'il nous fournit exactement ce dont nous avons besoin et ce, au moment le plus approprié. Et qui plus est, il nous offre un service éducatif qui permet à tous ses investisseurs d'arriver à mieux comprendre comment réaliser et obtenir un rendement de plus en plus élevé.

Bien entendu, l'investissement divin, comme tous les autres, demande une supervision et une responsabilité constantes et exige le don de soi. Parmi les autres pré-requis nous retrouvons la volonté de laisser aller les choses et de laisser couler le capital; un recours constant à l'amour, la confiance et l'enthousiasme; la foi et la pratique quotidienne de la prière et de la méditation; l'habileté à écouter l'intuition et à agir selon elle; et la consécration à la bonté, à la gentillesse et au don de soi pour Dieu et les autres.

Si nous acceptons de rencontrer ces exigences, nous pourrons, grâce à cet investissement divin, nous planifier un avenir prospère, car il continue de croître, d'être disponible et prospère.

Rendons grâce pour l'investissement divin

La véritable richesse

Chaque jour, nous entendons parler de moyens nouveaux et plus efficaces d'obtenir la richesse financière. Il semble que l'objectif de tous est de devenir riche. Mais l'indépendance financière n'est que l'une des formes de la richesse.

Nous recevons en quelque sorte une forme de richesse à chaque fois que nous faisons l'expérience de ce magnifique sentiment qu'est celui de faire le bien pour les autres. En plus d'être financièrement riches, grâce à la sagesse, la connaissance, le bonheur, la spiritualité et la paix de l'esprit, nous disposons des richesses de l'univers en quantités illimitées et de façon permanente.

Afin d'obtenir cette richesse, nous devons en discerner la source. Nous devons être reconnaissants des formes bénies qu'elle prend et les partager avec autrui afin de créer à l'intérieur de nous des vides à remplir des bienfaits de l'univers. Nous devons faire preuve de confiance et de foi et ne pas bloquer l'attraction de la richesse par la crainte, le doute et l'insécurité. Nous devons nous accepter dans notre richesse. Mais par-dessus tout, il nous faut suivre le mouvement de l'univers infiniment riche .

La véritable richesse constitue notre héritage divin. Ses formes infinies sont toujours à portée de notre main, disponibles afin d'être utilisées sagement. Une fois cette richesse obtenue, il est impossible de mettre notre compte à découvert, car il est toujours plein. Le taux d'intérêt courant en est infini.

Ceux qui chercheront trouveront; ceux qui frapperont se feront ouvrir la porte; et ceux qui demanderont recevront. Soyons-en reconnaissants.

Rendons grâce pour les multiples formes de richesses

«Afin d'obtenir la richesse,
nous devons en reconnaître la source.»

Apprendre à ne pas bloquer la richesse financière

Nous avons tous rencontré des individus qui semblent attirer la richesse financière. La plupart de ces individus reçoivent une appréciation merveilleuse pour leur richesse et ils ne la laissent pas interférer avec la croissance et l'évolution spirituelles. Pour eux, l'argent agit comme un véhicule à utiliser pour une fin précise.

Si nous nous sentons coupables de recevoir de l'argent pour nos services ou si nous sommes trop fiers pour accepter une compensation, il serait sage de nous demander pourquoi. La culpabilité face à l'argent peut nous venir de plusieurs insécurités et illusions. Nous pouvons par exemple croire qu'il est la source de tous les maux ou que le royaume de Dieu n'est à la portée que de ceux qui sont pauvres ou mènent une vie austère. Mais l'argent peut être utilisé à des fins positives autant que négatives. Ne nous laissons pas désillusionner par ceux qui croient que l'argent est mauvais, car il n'en est ainsi que s'il est employé à des desseins maléfiques.

Et, en vérité, être pauvre avec toutes les frustrations que cela comporte n'est pas la meilleure façon de recevoir nos récompenses. Nous pouvons faire beaucoup plus pour les autres quand nous avons accepté l'argent comme véhicule. Lorsque nous dépensons l'argent sagement et pour des bonnes causes, il nous est rendu au centuple.

Ne freinons pas les formes financières des richesses de la vie, mais sachons les apprécier comme un cadeau divin et les utiliser sagement.

Rendons grâce pour la richesse financière

Soyons affirmatifs, mais non agressifs

À chaque jour de notre vie, des occasions nouvelles et gratifiantes nous sont offertes. Certains d'entre nous les saisissent avec joie et enthousiasme alors que d'autres les laissent glisser.

Les créateurs positifs qui cherchent, frappent à la porte et demandent à connaître de nouvelles expériences gratifiantes peuvent faire de grandes enjambées dans leur vie et, en général, ils deviennent des meneurs dans leurs occupations et leurs communautés. Les individus peureux, incrédules, qui s'assoient et passent à côté du plaisir, essaient souvent impatiemment de produire de grandes enjambées à grands coups d'agressivité. Mais l'agressivité, qui est souvent un signe de doute de soi et d'insécurité, ne fait qu'irriter ceux qui circulent sur le même chemin et créer du ressentiment.

Essayons de transformer cette attitude en affirmation de soi. Si quelqu'un nous demande de faire quelque chose que nous préférons ne pas accomplir, ne répondons pas émotivement par la colère et une foule de défenses irrationnelles. Il n'est pas nécessaire de répondre par la haine, c'est préjudiciable à tous. Si nous sommes trop occupés, nous n'avons qu'à le signifier poliment.

Si nous voulons réaliser nos buts dans la vie, nous devons apprendre à nous affirmer. Nous ne devons pas avoir peur d'agir, de nous exprimer, de laisser les autres connaître nos intentions. L'affirmation de soi reflète un état d'être supérieur, alors que l'agressivité répulsive est une forme inférieure de réaction. L'affirmation de soi attire nos buts, l'agressivité les éloigne.

Rendons grâce pour l'affirmation de soi

La ponctualité nous donne de l'avance

Nous avons tous remarqué que certains d'entre nous sont toujours à temps, alors que d'autres sont habituellement en retard. Ceux qui sont ponctuels semblent être souvent les plus productifs, les plus motivés et les plus intéressés par leur travail. Et bien que les retardataires ne soient pas toujours les moins productifs, ils donnent vraiment l'impression d'être moins ambitieux. La plupart d'entre nous sommes d'accord avec le fait que la ponctualité est une marque de considération et de productivité, et nous aimons bien que les autres se présentent à temps au travail, aux rendez-vous ou à tout autre engagement. L'habitude du retard éprouve notre patience et devient en définitive plutôt ennuyante.

Mais il existe des moyens de négocier avec ces individus. Nous pouvons être affirmatifs et leur faire part de nos inquiétudes. Cela fonctionne, mais il nous faut être francs, précis et conséquents dans notre approche. Une autre méthode est de donner des ultimatums. Cela peut paraître sévère, mais il peut très bien s'agir du genre de motivation dont certaines personnes ont besoin. Une autre tactique est de mettre fin à nos rapports avec eux — les congédier ou refuser de faire des affaires avec eux. Là encore, nous retrouvons le pour et le contre. Finalement, nous pouvons tout simplement être patients, considérer les autres belles qualités que possèdent ces personnes et évaluer s'il vaut la peine de sévir contre eux. Dans bien des cas, c'est l'approche la plus sage. Elle requiert beaucoup de patience, mais elle paie en retour.

Bien souvent, une combinaison de ces approches peut être considérée. Nous pouvons stimuler leur ponctualité à l'aide d'encouragements, leur faire éloge lorsqu'ils se montrent à temps ou discuter de la question avec eux afin de déterminer s'il existe des raisons légitimes pour expliquer leur retard et d'essayer de les aider s'il y a là un problème. Mais que nous décidions de négocier ou de composer avec cette habitude d'être retardataire, notre attention n'est pas moins requise.

Tenter de comprendre les autres nous aide à nous comprendre nous-mêmes. Ceux d'entre nous qui sont en retard à leurs rendez-vous seraient sages de penser en quoi cela affecte les autres. Réfléchissons deux fois avant d'être en retard. Les autres apprécient la ponctualité autant que nous. D'ailleurs, le retard irréfléchi de quelqu'un peut déranger l'emploi du temps d'une autre personne et la mettre, elle aussi, en retard. Selon la loi universelle de cause à effet, si nous sommes en retard pour les autres, eux aussi le seront pour nous. Et nous n'aimerions pas cela, non?

Rappelons-nous cette vérité dictée par le vieux proverbe: «L'oiseau matinal attrape le ver.»

Rendons grâce pour la ponctualité

Si notre monde extérieur est éparpillé, il en sera de même de notre monde intérieur

Il y a certaines périodes de nos vies où il semble que nous travaillions plus fort pour accomplir moins. Si nous faisions alors un examen attentif, nous découvririons que nous sommes mentalement éparpillés et désorganisés.

Ces états nous attirent une foule d'expériences douloureuses. Nous nous surprenons à être d'une humeur de chien, frustrés et notre milieu ambiant est désorganisé. Notre maison est encombrée d'un amas de vaisselle sale et de vêtements froissés et tout est en désordre. Notre voiture est toute souillée par les cannettes de Coke, les papiers d'emballage de bonbons et des jouets sont cachés sous les sièges. Notre bureau est enterré sous des piles de papiers en désordre, de lettres en retard et les carnets de «choses à faire» sont beaucoup trop remplis. Notre entreprise accepte trop de contrats en même temps sans en terminer un seul.

Notre environnement nous parle.

Si nous écoutons, nous l'entendrons nous dire: «Sois organisé! Concentre ton attention sur une seule chose à la fois! Termine une tâche avant de passer à une autre!» Si nous suivons ce conseil, nous retrouverons le contrôle de notre vie, nous nous débarrasserons de nos frustrations et nous approcherons d'un état plus paisible.

Nous connaissons tous des périodes de désorganisation lorsque nos esprits partent à la dérive et que nous sommes d'une humeur massacrante et désordonnée. Mais nous avons tous la capacité de transformer ces périodes d'épreuves en des états calmes et organisés simplement en reconnaissant leur existence et en prenant les moyens de les changer.

Lorsque cela revient, il faut nettoyer notre fouillis, terminer nos projets, remettre les choses en ordre. Concentrons-nous d'abord sur la tâche la plus importante. Une fois celle-ci terminée, passons à la prochaine. Nous sommes plus motivés à agir sur les hautes priorités, et le fait de les attaquer en premier nous permet d'accomplir plus avec moins d'efforts.

En nous concentrant sur nos priorités et en nous organisant, nous pouvons nous débarrasser d'un désordre mental frustrant et inefficace. En organisant notre monde extérieur, nous organisons indirectement notre monde intérieur. Nous sommes à l'intérieur tels que nous sommes à l'extérieur, nous sommes à l'extérieur tels que nous sommes à l'intérieur.

Rendons grâce Dieu pour l'organisation

«Nous sommes à l'intérieur
tels que nous sommes à l'extérieur,
nous sommes à l'extérieur
tels que nous sommes à l'intérieur.»

L'envie, c'est l'ignorance; et l'imitation, c'est le suicide

Quand nous étions enfants, on nous demandait souvent ce que nous aimerions devenir quand nous serions grands. Nous répondions souvent que nous aimerions devenir comme telle ou telle personne particulière. Que ce soit consciemment ou inconsciemment, nous avons tous envié ou imité les autres — nos parents peut-être ou une vedette de film, un héros sportif ou un personnage fictif. Cela faisait naturellement partie du fait de grandir, mais plus nous avancions en âge, plus nous aurions dû devenir la personne unique que nous étions appelés à être.

Essayer d'être quelqu'un que nous ne sommes pas, c'est faire un pas en arrière dans la vie. Nous ne pouvons aisément être quiconque que nous-mêmes; l'envie et l'imitation ne conduisent qu'à la détresse. Cela ne veut pas dire que nous ne devrions pas acquérir les merveilleuses caractéristiques des gens que nous admirons. Nous pouvons absorber les facettes et les teintes éclectiques d'une multitude de personnes tout en les intégrant à notre personnalité unique. Mais tout comme il est illégal de plagier les mots des autres, il est contre les lois de l'univers de copier leur personnalité. L'envie c'est l'ignorance, et l'imitation, c'est le suicide.

Soyons reconnaissants d'être qui nous sommes. Nous pouvons incorporer à notre être les admirables qualités des autres tout en essayant de n'être que notre véritable et merveilleux nous-même. Il est inutile d'être quoi que ce soit d'autre.

Rendons grâce d'être qui nous sommes

L'action tue la peur

Nous sommes confrontés presque quotidiennement à la peur. Plusieurs d'entre nous devenons sa proie, et elle se saisit de nous et nous détruit. Nous l'imaginons qui guette sous chaque crevasse et à l'intérieur de chaque fente de notre être et plus longtemps elle y reste, plus il est possible qu'elle frappe.

Mais la peur n'existe que dans les couches inférieures de notre esprit. C'est nous qui nourrissons la peur et tous ses compagnons malveillants que sont les autres émotions et expériences négatives. Lorsque nous ressentons de la peur à contrôler notre mariage, notre occupation, notre vie sociale et nos croyances politiques, nous devons reconnaître en la peur une création de notre esprit et la recréer sous forme d'action.

L'action tue la peur. La reconnaître constitue notre premier pas vers sa défaite, mais il nous faut aussi y faire face; il nous faut franchir le sombre seuil, là où elle se cache, et allumer énergiquement la lumière. La peur demeurera à notre affût tant que nous n'aurons pas agi afin de l'arrêter. Si, par exemple, nous faisons face à une responsabilité financière envahissante, il ne faut pas nous asseoir en nous laissant aller à la crainte; au lieu de cela, nous devons agir pour trouver une solution. Si nous ne le faisons pas, notre fardeau financier ne fera que croître, c'est certain.

Les meilleures actions à entreprendre sont celles que proposent les réflexions divines sur la vie; elles sauront sûrement tuer la peur. Suivre les lois divines nous apportera des résultats divins.

Rendons grâce pour l'action

«Nous devons franchir le sombre seuil,
là où la peur se cache, et allumer
énergiquement la lumière.»

Triompher de nos complexes d'infériorité

Chacun de nous connaît, à divers degrés, le doute de soi et l'insécurité, ou un net sentiment d'infériorité. Depuis notre enfance ou même avant, nous avons souvent été convaincus d'une infériorité alimentée de façon négative par les autres ou nous-mêmes. Cet apport négatif a programmé en nous des états émotifs d'infériorité.

Nous oscillons entre des sentiments exaltés de confiance et des sentiments inférieurs de doute. Nous manquons d'assurance face aux autres, et chacune des insécurités que nous entretenons nous apporte un cortège d'expériences négatives. Nous passons à côté de tellement d'occasions seulement parce que nous manquons de la confiance nécessaire pour avancer, chercher, frapper à la porte et demander. Que pouvons-nous faire pour vaincre ce mal? Avons-nous à notre portée les outils qui nous aideront à cesser de nous conformer à ces schèmes?

Oui. L'un de ces outils consiste à nous fixer des buts. Le fait de nous fixer des buts de plus en plus grands et de persévérer jusqu'à ce qu'ils s'accomplissent nous reprogrammera vers un succès accompagné de toute la confiance en soi, résultat de l'accomplissement. Avancer progressivement vers des tâches de plus en plus difficiles nous aide à grimper dans notre échelle de confiance. Commençons d'abord par ce qui demande un moindre effort puis avançons graduellement vers le plus grand des défis: maintenir dans nos vies l'équilibre et le courant divin.

Le deuxième de ces outils est la puissance de la foi. En nous construisant une foi en Dieu et en nous, nous donnons de l'expansion à notre confiance. La reconnaissance du divin potentiel illimité qui sommeille à l'intérieur de nous constitue une première phase de son éveil. Débarrassons-nous de nos craintes et de nos doutes en reconnaissant que nous faisons partie du mouvement divin illimité qui est capable de tout. Ceux qui ont foi en Dieu et en leur moi divin n'ont pas de place pour les complexes d'infériorité. Seules les riches récompenses comme la foi et la confiance y sont bienvenues.

Le troisième outil est l'affirmation de soi positive et confiante. Nous ne faisons que planifier notre défaite lorsque nous nous affirmons à nous-mêmes que nous sommes inférieurs, avec des mots d'hésitation remplis de doute et de procrastination. Nous pouvons à la place nous mettre en position pour réussir en proclamant que nous sommes des génies croyants, confiants et de nature divine. Cette affirmation contribuera beaucoup à la réalisation de ces choses.

Le quatrième outil est la visualisation positive. En imaginant l'état désiré de confiance en soi à travers l'œil de notre esprit, nous pouvons nous motiver à atteindre cette réalité.

Un autre outil, le cinquième, est l'association. En nous associant avec des gens sûrs qui ne connaissent pas le doute, nous deviendrons comme eux. On ne peut plonger son doigt dans un pot d'encre sans qu'il ne prenne la couleur de l'encre en question. De la même façon, nous ne pouvons nous frotter à des gens confiants sans éprouver la même confiance en soi. Laissons-nous planer avec les aigles intrépides et non pas sautiller avec les dindes craintives .

Et il y a aussi d'autres outils, toutes les réflexions sur la vie.

Rendons grâce pour les outils de confiance

Apprendre à accepter la dynamique de la vie

La vie est dynamique, elle change à tout moment. La seule constante que nous lui connaissions est le changement.

Plusieurs d'entre nous, craignant le changement dans la vie, sommes réticents à nous éloigner de notre confortable niche. Mais notre emploi, nos êtres aimés, notre environnement changeront à jamais, peu importe à quel point nous voudrions qu'ils demeurent les mêmes. Penser qu'ils ne se transformeront pas, c'est ignorer le principe dynamique de la vie. Le changement est incessant dans nos vies; nous pouvons l'observer chaque jour simplement en nous regardant dans le miroir. Grâce au changement, nous évoluons; sans lui, nous serions comme une flaque d'eau stagnante.

La prochaine fois que nous voudrons que les choses ne bougent pas pour un moment, demandons-nous pourquoi. Nous découvrirons peut-être que nous essayons de nager contre le courant de la vie au lieu de nous laisser transporter par les flots. Si tel est le cas, alors il nous faut changer de direction car si le changement nous semble difficile, il l'est encore plus de contrarier le mouvement dynamique de la vie.

«Vie» et «mouvement» sont deux termes interchangeables. En nous imaginant remplis par l'expansion et la contraction de la vie, il nous est possible d'expérimenter ce vivant état de mouvement. Tout, des plus simples eaux de la vie jusqu'aux vastes mers, ressent ce mouvement de vague. Nous pouvons nous laisser remplir par le souffle et le mouvement de la vie et nous serons en vie, dynamiques, motivés; notre clarté attirera les autres et nous attirerons nos rêves vers nous. Ou bien nous pouvons résister à ces vagues de changement et nous serons statiques, nuageux, sans vie; nous pouvons n'offrir aucun rafraîchissement, et la vie nous évitera.

Sachons reconnaître que la vie nécessite le changement et le mouvement. Apprenons à apprécier le changement et observons à quel point est attirant le mouvement de la vie chez les autres. Soyons reconnaissants du changement.

Rendons grâce pour le mouvement dynamique

Transformer le remords, le regret et la rancune en bonheur

Le bonheur n'est souvent qu'un état d'esprit transitoire, car il ne demeure qu'avec ceux qui ont appris à laisser aller les choses. Chacun de nous a le potentiel de rester heureux, mais nous devons auparavant nous débarrasser du remords, du regret et de la rancune.

Ces trois états d'esprit négatifs inhibent le flot du bonheur lui-même. Nous devons apprendre à nous dégager de leurs terribles griffes afin d'obtenir ce qui nous revient de droit. À chaque fois que nous éprouvons du remords pour des méfaits passés, c'est le temps de nous pardonner avec confiance et de nous laisser aller, car c'est plus exigeant encore de s'accrocher à de telles expériences. Si nous éprouvons du regret pour la façon dont les choses se sont présentées, c'est que nous n'avons pas appris que toutes les expériences servent des buts divins et cachent sous leur déguisement des bienfaits. Si nous éprouvons du regret pour des circonstances malheureuses, nous ne ferons que les attirer encore plus.

Ces trois sentiments négatifs sont des illusions produites par les couches inférieures de nos esprits, alors nous devons apprendre à laisser nos esprits supérieurs prendre les choses en main. Nous devons avoir la foi, dénombrer nos bienfaits et être reconnaissants, cléments et compréhensifs. Alors seulement serons-nous heureux.

Si les choses ne vont pas comme nous l'aimerions et que nous nous retrouvons malheureux, il nous faut apprendre à changer notre perspective. Nous devons rechercher les secrets de la vérité si nous voulons que le bonheur soit nôtre, car la vérité seulement peut éliminer ces sentiments.

Rendons grâce pour le bonheur

Dieu est infiniment miséricordieux

Il y a des moments où nous ressentons un besoin de clémence, des moments où nous avons obliqué hors du droit chemin, reconnu nos erreurs et où nous avons besoin de demander le pardon et la compassion. C'est à ce moment que nous avons le plus besoin de la sympathie des autres, mais trop souvent, à cause de la peine et de la misère que nous leur avons infligées, ils nous donnent à éprouver de la culpabilité et nous condamnent. Il est alors temps de se tourner vers l'intérieur, vers la miséricorde de Dieu qui ne connaît pas de fin. Ici, dans les parcelles d'âme de Dieu à l'intérieur de nous, nous pouvons trouver la véritable miséricorde durable et donner la paix à notre esprit.

Il est humain d'errer et d'avoir besoin du pardon, mais en attendant le pardon des autres, nous nous mettons en position de détresse. Lorsque les autres nous pardonnent, voyons en cela un bienfait inattendu. Ensuite, retournons vers Dieu pour un immense pardon qui saura nous combler.

Remercions Dieu pour sa miséricorde

Pardonner à autrui

En apprenant à pardonner aux autres leurs «bizarres inadvertances», nous pouvons nous attirer plus de bienfaits et de récompenses de la vie. Au cours de nos moments réactionnaires, nous faisons tous des choses que nous n'aurions pas souhaité faire et lorsque cela nous arrive, nous apprécions le pardon venant des autres.

Mais nos erreurs déclenchent si facilement du ressentiment chez les autres, et les leurs provoquent les mêmes sentiments en nous. Si nous nous y accrochons en les laissant grandir à l'intérieur de nous pendant que nous rationalisons leur existence, quelqu'un en sera sans aucun doute atteint. Ces sentiments brassent des tourments à l'intérieur de nous, notre respiration s'en trouve gênée et nos organes fonctionnent mal. Nos esprits deviennent embrouillés et rigides. Et alors que notre frustration ne fait que croître, nous devenons de plus en plus introvertis ou encore nous nous mettons à crier de rage. Le ressentiment peut nous détruire.

Seul le pardon peut éteindre ce feu destructif. Jésus a dit: «Que celui qui n'a pas péché lui lance la première pierre.» Nous devrions transiger avec les autres en suivant cette vérité. S'ils font quoi que ce soit qui nous perturbe et nous amène à réagir, demandons-nous qui nous sommes pour lancer cette pierre; nous avons tous des manies ennuyeuses. Réfléchissons un moment et, au lieu d'agir avec ressentiment, manifestons de la gentillesse.

Si toutefois nous devenons vindicatifs, cherchons-en la véritable raison en nous-mêmes. Pourquoi nous attirons-nous ces réactions de la part des autres? Pourquoi sommes-nous si sensibles à leurs propos? Serait-ce que leurs mots et leurs gestes nous rappellent des choses embêtantes à propos de nous-mêmes? Posons-nous ces questions, et ensuite pardonnons.

Le pardon purifie l'air et nous ouvre aux richesses qui nous sont rendues. Ceux qui pardonnent seront bénis et récompensés; mais pas de récompenses pour les rancuniers. Ne laissons pas le ressentiment s'insinuer en nous, car il est destructif et nuisible à tous. Lorsque nous le sentons monter, comptons jusqu'à 10 ou récitons une prière; même si nous avons un Dieu dont le pardon est infini, nous l'apprécions entre nous aussi.

Et surtout, sachons apprécier la personne qui déclenche notre ressentiment, car elle nous aide à entrer en contact avec nous-mêmes en nous encourageant à regarder nos faiblesses et nos erreurs. Ceci constitue un bienfait des plus rémunérateurs.

Rendons grâce pour le pardon aux autres

Peindre sur de la rouille

Tout ce que nous avons déjà ressenti peut être retrouvé quelque part à l'intérieur de notre être, là où cela résonne encore à l'intérieur de nos cellules vivantes. Même si nous avions cru ces incidents oubliés, ils nous reviennent souvent lorsque nous vibrons consciemment à la même fréquence que l'expérience originelle.

Au plus profond de notre subconscient repose une foule d'expériences émotionnelles déplaisantes, certaines d'entre elles étant en fait tellement douloureuses que nous avons délibérément évité de les syntoniser. Nous devons en fin de compte retirer ces expériences négatives afin de les amener à la lumière du jour où nous pourrons les transformer en bénédictions conscientes. En reconnaissant que chacune d'entre elles possède un pouvoir guérisseur et que chacune peut nous offrir des indices sur qui nous sommes vraiment, il nous est possible de syntoniser ces fréquences avec moins de douleur.

Si un travailleur inexpérimenté peint sur de la rouille qui n'a pas été poncée, la peinture aura tôt fait de peler ou de s'effriter et la rouille deviendra de plus en plus épaisse et profonde. Ignorer l'existence d'expériences déplaisantes équivaut à peindre sur de la rouille: leur corrosion causera notre effondrement. Nos esprits doivent être poncés, jusqu'à ce qu'ils deviennent propres et lisses, libres d'expériences qui croupissent dans l'oisiveté; avant que nous n'étendions de nouvelles couches. Sachons examiner ces expériences négatives afin d'imaginer tous les bienfaits qu'elles nous offrent. En agissant ainsi, nous pouvons plus facilement leur redonner un fini luisant.

Rendons grâce pour les solvants antirouille

L'humilité, la racine même de la croissance

Notre vie est remplie d'expériences grandissantes, et toutes sont des bénédictions. Certaines de ces expériences sont stimulantes et nous font nous sentir à merveille; d'autres sont déprimantes et face à elles nous nous sentons démunis. Pour la plupart d'entre nous, ces hauts et ces bas se présentent sous forme de cycles périodiques. La vie nous semble plus facile quand ces cycles sont égaux et modérés; ce sont les extrêmes dans les hauts et les bas qui nous achèvent. En les dessinant, nous pouvons souvent comprendre la raison de leur avènement.

Lorsque nous semblons avoir atteint le fond du puits et que finalement nous surgissons vers la lumière, il se peut que nous nous sentions comme si nous avions repris contact avec le courant universel. Mais dès que nous parvenons au sommet et que nous montrons des signes de ballottement hors du courant, nous redescendons aussi vite. En nous approchant une fois de plus du fond, nous tombons dans un état d'introversion, d'abaissement de l'égo et, finalement, de profonde humilité.

C'est cette humilité ou modestie qui nous projette souvent à nouveau vers le haut. Si seulement nous pouvions reconnaître l'importance de l'humilité avant d'atteindre le sommet ou, comme mentionné précédemment, avant d'amorcer notre trajectoire descendante, nous pourrions modérer ces cycles extrêmes.

L'humilité, cet élément essentiel de la vie, aplanit nos côtés rudes. Elle empêche les rancunes, élimine notre besoin d'être sur la défensive et nous couronne de tous les honneurs. Elle nous apporte le respect, l'admiration et l'amitié. L'humilité mène à la croissance. Elle nous aide à nous rendre compte que nous avons beaucoup à apprendre et que nous ne sommes qu'une partie du tout et non ce tout lui-même. Les Saintes Écritures font elles aussi l'éloge de l'humilité: «L'humilité avant l'honneur»; «De l'humilité et la crainte de Dieu découlent les richesses, l'honneur et la vie»; «La fierté d'un homme le mènera au plus bas, mais le simple d'esprit sera couvert d'honneurs.»

La prochaine fois que nous nous balancerons vers le haut et que nous nous gonflerons d'orgueil, souvenons-nous que l'humilité peut nous sauver du naufrage.

Rendons grâce pour l'humilité

Apprécier les autres tels qu'ils sont

De même qu'il existe un continuum infini de fréquences énergétiques, il existe un continuum infini d'esprit. Chacun de nous traverse différents états d'esprit qui ont leur propre place dans la conscience universelle.

Il est, d'une certaine façon, vrai de dire que nous avons tous un potentiel égal aux autres, mais aucun d'entre nous n'est exactement sur la même longueur d'onde. La syntonisation de notre système émetteur-récepteur détermine momentanément qui nous sommes. En utilisant nos yeux comme syntonisateurs, il nous est possible de nous brancher sur toute la gamme de la conscience humaine. Il est de ces moments où nous nous comportons comme des animaux; à d'autres, nous apparaissons comme des êtres spirituellement très évolués. Nos esprits sont libres de grimper de la plus basse fréquence à la plus haute.

Lorsque les autres sont branchés sur des fréquences différentes de la nôtre, nous pensons souvent qu'ils sont étranges. Mais nous devons nous souvenir que chacun possède un potentiel infini et que, même si nous sommes branchés sur des stations différentes, nous nous ressemblons beaucoup. Nous avons tous beaucoup appris, cependant nous en avons encore beaucoup à apprendre. Nul d'entre nous n'est supérieur ou inférieur; nous sommes simplement nous-mêmes.

S'imaginer meilleurs ou pires que les autres est un acte de jugement douloureux, car juger c'est aussi être jugé. Nous devons faire attention à notre façon de percevoir les autres car se concentrer sur les natures inférieures des autres c'est faire ressortir ce qu'il y a de pire en nous, tout comme apprécier leur beauté révélera ce que nous avons de meilleur. Lorsque nous arrêterons de juger les autres selon nos propres normes et que nous commencerons à les apprécier tels qu'ils sont, ils pourront aussi bien ajuster le syntonisateur de leur radio sur notre station préférée.

La vie serait ennuyeuse si nous étions tous semblables. Sachons apprécier les autres tels qu'ils sont.

Rendons grâce pour l'existence des autres

Le grand attribut de la foi

On a proclamé avec sagesse que de puissants actes de foi pouvaient transporter les montagnes. Nos actes de foi sont parmi les plus grandioses que nous puissions accomplir.

Qu'est-ce que la foi? La foi est une forme de richesse, car elle nous ouvre les portes vers des ressources illimitées. La foi est aussi une démonstration de bravoure, car ces deux qualités marchent main dans la main. La foi, c'est savoir que nos rêves les plus attendus se trouvent droit devant nous. C'est l'inspiration du fort et l'essence du sage. La foi domine le doute et la peur, nous permettant de dormir paisiblement la nuit, de conduire jusqu'à notre travail chaque jour, et de marcher vers de plus verts pâturages et de plus hautes montagnes le long du chemin incertain de la vie.

Chacun de nous a vu la foi en action et nous avons tous ressenti sa paisible sensation. La force de la foi est de savoir que tout est bien en dépit des apparences, que chaque nouvelle tentative permet aux autres et à nous-mêmes de grandir; avoir la foi en l'être divin nous aide tous à voguer à travers la vie. La foi, combinée à l'action, est le véhicule de la vie.

Parvenir à la foi, c'est être croyant. Donner la foi, c'est recevoir la foi. Démontrer de la foi, c'est avoir la foi. La foi en l'être divin est la foi la plus gratifiante qui soit.

Rendons grâce pour la foi

Le chant: un signe de paix

Nous avons tous connu de merveilleux moments où nous nous surprenions à chanter en conduisant notre voiture, en nous coulant dans notre bain ou en nous promenant. Nous nous plaisions avec joie et paix à traverser la vie. Le chant éclate spontanément lorsque nous sommes humbles, à l'aise, heureux, paisibles. Il est très rare que nous chantions lorsque nous sommes tristes, car le chant arrive lorsque nous sommes en harmonie avec nous-mêmes.

Nous avons tous fait l'expérience de ces instants où une chanson est venue nous chercher, où notre corps s'est mis à suivre le mouvement d'une rengaine. Il est aussi naturel de chanter que de respirer et c'est une façon d'exprimer chaque souffle de la vie. Lorsqu'un chant résonne dans notre corps, nous demandons à nos cellules de se moduler à la chanson. Le chant guérit nos malaises et détend nos sourcils froncés. Chanter à voix haute pour les autres, c'est les remplir eux aussi d'une force de guérison.

Nos chants sont souvent le reflet de nos sentiments du moment, mais ils peuvent aussi être le miroir d'expériences passées ou à venir. À chaque fois que nous nous retrouverons en train de chanter, sachons écouter nos paroles, notre timbre et les messages subtils contenus dans ce chant qui pourraient nous fournir des indices sur notre vie. Tout comme les larmes de joie, le chant agit comme l'un de nos guides vers une vie paisible. Il nous offre le moyen de savoir que nous sommes en accord avec Dieu, car lorsque nous le sommes, nous voulons le chanter avec joie et enthousiasme. Le chant est vraiment un cadeau divin.

Rendons grâce pour le chant de paix

Nos buts peuvent nous servir comme une plante grimpante près du sable mouvant

Chaque fois que nous sombrons dans les bas-fonds du désespoir et qu'aucune aide ne point à l'horizon, nous devons tendre la main vers notre but. Il pourra sûrement nous sauver la vie.

Nos buts agissent comme de puissants motifs. Ils nous donnent un objectif et une orientation et nous fournissent un point focal autour duquel notre énergie créatrice pourra transformer nos désirs en réalités. Et lorsque nous voyons exactement ce que nous pouvons faire, notre estime de nous-mêmes augmente.

Tout comme la ruée vers l'or d'autrefois, nos buts nous fournissent de l'inspiration pour la réalisation de nos rêves. Ils orientent les roues de notre chariot vers un quelconque objectif et génèrent l'enthousiasme qui saura continuer à les faire tourner.

Mais l'aspect le plus merveilleux de nos buts, c'est qu'ils sont réalisables.

Rendons grâce pour nos buts

Apprendre à se fixer des buts

Une fois que nous avons reconnu les bienfaits de nos buts, nous devons apprendre comment les fixer. Comme chacun des buts vers lesquels nous tendons se réaliseront, nous devons y réfléchir et nous assurer qu'ils valent la peine plutôt que de perdre notre temps et notre énergie en nous lançant au hasard vers des buts qui ne rapportent rien. Chacun de nos buts peut être bien planifié, et déterminé selon sa priorité. Il doit être pratique et productif et ne pas s'interposer entre d'autres buts avec lesquels il entrerait en conflit. Par exemple, si nous voulons que les ventes de la journée augmentent et que l'argent circule, nous ne nous fixerons pas comme but d'apprendre à jouer au golf cette journée-là.

Concevons nos buts avec soin et soyons certains de tous les planifier par intuition, pour une journée, une semaine, une année ou toute la vie. Sachons prendre contact avec nos désirs inconscients et les transformer en buts conscients et définis avec précision. Souvenons-nous qu'il nous faut nous fixer des buts qui récompenseront les autres.

Voici des suggestions qui nous aideront à définir et réaliser des buts gratifiants et productifs. Premièrement, il nous faut visualiser ce que nous désirons. Ensuite, il nous faut l'écrire clairement en détails. Dictons-le à un magnétophone avec enthousiasme et ensuite écoutons quelle résonnance il offre. Associons-le avec des odeurs, des goûts, des sons de tous les jours. Prenons le temps d'y réfléchir périodiquement et d'y concentrer notre attention. Soyons flexibles et sachons mettre à jour chaque but selon la nécessité. Donnons-nous une échéance pour sa réalisation. Finalement, soyons reconnaissants de cette occasion de nous fixer des buts.

Cet acte simple de se fixer des buts peut être l'un des gestes les plus gratifiants de notre vie. Notre motivation s'accroît miraculeusement lorsque nous connaissons ce que nous voulons accomplir. Le plus important, c'est de se fixer un but, car sans cela nous ne pouvons rien amorcer.

Rendons grâce pour la définition d'un but

Se concentrer sur nos buts

Nos esprits ne peuvent se concentrer efficacement que sur une chose à la fois. C'est bien connu et c'est tant mieux, car pour que nos rêves deviennent des réalités, nous devons sans répit concentrer nos esprits sur nos buts.

Comme notre esprit supérieur peut facilement être distrait de ses buts par des événements extérieurs qui bombardent constamment nos sens, nous devons arriver à mettre nos sens à contribution pour agir en vue de se fixer des buts.

Pour mettre fin à cette distraction et amener nos buts à maturité, nous devons établir des modèles tangibles qui pourront être expérimentés par tous nos sens. En construisant des répliques mentales que nous pouvons voir, sentir, entendre, humer et goûter, nos esprits passent par des procédés d'apprentissage supérieurs et suivent des modèles conformes tout en utilisant la matière brute de nos buts afin de construire la réalité.

Les clés de la réalisation de nos buts sont de concentrer tous nos sens sur eux, de les garder entiers, sans éparpillement, sans distraction et de persévérer dans notre concentration assez longtemps pour qu'ils se manifestent. Nous devons littéralement garder nos yeux fixés sur nos buts, non sur la route.

Rendons grâce pour notre concentration

Amorcer la réalisation de nos buts

Plusieurs d'entre nous sommes des rêveurs, mais peu agissent. Sans l'action, nos buts et nos rêves ne font que rester en jachère dans notre esprit et sont rarement accomplis. Une fois nos buts déterminés, nous devons nous mettre en mouvement et agir en vue de leur accomplissement; si nous ne commençons pas, nous n'y parviendrons sûrement pas.

Si par exemple notre but est de construire un centre de santé holistique, nous devons faire des appels, écrire des lettres, développer notre idée, planifier les détails, discuter de notre plan, prendre des arrangements, déléguer du travail, motiver les travailleurs et plus, beaucoup plus encore. Il n'y a pas de substituts à ces actions; sans elles, les vibrations mentales nécessaires à l'accomplissement de notre idée grandiose ne seront jamais mises en mouvement. Se mettre en mouvement, c'est faire preuve de motivation et, avec la motivation, il est possible de persévérer dans nos buts.

Souvenez-vous du proverbe: «À cœur vaillant rien d'impossible.» Cela veut dire qu'aucun de nos buts ne pourra s'accomplir sans une volonté éclairée de travailler et d'agir. Les temps durs passent, mais les personnes coriaces, elles, demeurent. Soyons reconnaissants du don de cette noble capacité d'action et de mouvement.

Rendons grâce pour l'action

Persévérer dans nos buts

Il a été dit que nous venons à bout de tout avec de la persévérance. Aucun grand objectif n'a été atteint sans le concours d'esprits obstinés, patients et persévérants qui se sont efforcés de vaincre. Les médaillés d'or olympiques ont tous dû se fixer des buts, ils ont agi en fonction de ses buts et ont continué à persévérer à la sueur de leur front jusqu'à la victoire ultime. Les coureurs de marathon restent branchés à leur but en dépit de la douloureuse révolte que leur font sentir leurs sens inférieurs. Chacun de nous aussi a vécu des moments où l'endurance et la patience ont porté fruits.

Le premier pas vers la victoire, c'est de se fixer des buts; le deuxième, passer à l'action; le troisième, rencontrer le défi. La concentration sans relâche et les actions dirigées vers un but mettent en place et accélèrent les ondes continues de vibrations mentales qui se répandent dans tout l'univers. Ces vibrations génèrent une foule d'énergies qui ne connaissent pas de bornes et qui agissent sur la substance éthérée qui se trouve entre chaque atome de vie. Elles affectent les esprits des gens et les motivent afin qu'ils nous aident à atteindre nos buts. Se fixer des buts permet de créer ces vibrations et s'activer vers nos buts permet de les mettre en mouvement, mais c'est la persévérance qui ajoute la force et l'intensité.

Il n'y a pas de limites aux buts que nous pouvons nous fixer, pas de limites aux actions que nous pouvons entreprendre, pas de limites à notre degré de persévérance. Afin d'atteindre à nos buts, nous devons être aussi persévérants qu'une fourmi ouvrière qui, pour le bien de sa colonie, transporte de grands objets sur de longues distances en dépit des obstacles qui se trouvent sur son passage. Sachons, nous aussi, contourner chaque obstacle sur notre chemin et n'en laissons aucun nous faire dévier de notre but. Souvenons-nous que là où il y a de la volonté, il y a de l'espoir. Si certains problèmes ne semblent pas posséder de solutions, laissons-nous guider par la conduite divine et persévérons.

∽ *Rendons grâce pour la persévérance* ∽

Se fixer des buts sans limites

Afin de faire faire une balle manquée à un joueur de base-ball, un lanceur doit garder ses yeux sur le gant du receveur. Si un fermier veut tracer un sillon qui soit rectiligne, il doit constamment faire avancer sa charrue en direction d'un piquet d'alignement. Lorsque les plongeurs s'apprêtent à sauter d'un précipice, ils s'imaginent en train de compléter une trajectoire parfaite de plongeon et ils retiennent cette image, même en tombant.

Toutes les personnes qui connaissent le succès semblent utiliser efficacement la méthode des buts. Peu importe notre but, une persévérance constante nous permettra d'atteindre à peu près tous les résultats escomptés. En utilisant la puissance de notre volonté renforcée par notre foi et notre confiance, nous pourrons transporter les montagnes.

Imaginons que nous ayons à courir 5 km. Si nous nous fixons un but de 5 km, nous pourrons peut-être réussir, mais il est également possible que nous nous fatiguions à 4,61 km. Si, par contre, nous nous donnons comme but 10 ou 15 km, nous n'en serons qu'au réchauffement quand nous franchirons la marque de 5 km.

Si notre but est de 60 km, imaginez comment ces 5 km deviendront faciles. Nous devons constater que nos seules limites sont celles que nous nous imposons. Moins nous connaissons de limites, plus abondante est notre vie.

En réalité, notre vie physique ne constitue qu'une seule expérience continue, et même si certaines portions semblent plus heureuses que d'autres, elles mènent toutes au même but ultime. Quand nous l'aurons compris, nous pourrons avec joie repousser nos limites et observer la facilité avec laquelle notre vie se déroulera. Nous atteindrons alors un point où elle s'écoulera avec une totale aisance. Cette toute-puissante expérience est bénie entre toutes.

Nous avons tous, consciemment ou inconsciemment, fait de nombreux efforts en vue de parvenir à cet objectif d'amour. En nous conformant aux étapes suivantes, nous verrons s'épanouir nos vies:

Imaginer notre but;
Examiner ce but afin d'en découvrir les limites;
Repousser les limites;
Imaginer à nouveau ce but.

Nous devons continuellement répéter ces étapes pour élargir notre conscience et diminuer nos limites. Pensons et réfléchissons en fonction de mots synonymes de «illimité». Accueillons une conscience plus large et plus heureuse. Souhaitons-nous la bienvenue dans un monde libéré des limites.

Rendons grâce pour les buts

La patience est une vertu

Lorsque nos esprits se concentrent sur nos buts, ces derniers se matérialisent. Atome par atome, à partir de l'éther, nos buts se façonnent eux-mêmes dans la réalité. Il arrive que le processus semble s'embourber, mais il s'agit en général d'une illusion de nos cinq sens. Sachez que chaque moment que nous consacrons à la contemplation de nos rêves et de nos buts génère une toile houleuse d'énergie et de matière. Cette toile subit en silence des interactions qui la transforment et qui entraînent comme résultat la réalisation de nos buts.

Si le temps semble long entre la contemplation et la réalisation, c'est surtout en raison des limites de nos sens, car les causes et les effets se déroulent en même temps. Le fait d'ajouter de la foi, de la clarté, de la distinction et de la détermination à notre contemplation accélère la réalisation de nos buts.

Attendre qu'un but se matérialise est une leçon de patience. Si un but tarde à venir, la meilleure chose que nous puissions faire est d'être patients. La patience est sûrement une vertu. Il est préférable de croire que plus un but prend de temps à se concrétiser, plus il est de nature grandiose et excitante. Il nous faut continuer à visualiser notre but, à affiner notre concentration en croyant qu'il est en train de se manifester maintenant et qu'il deviendra évident très bientôt. Nous devons être patients, déterminés et persévérants.

Grâce à la patience, il nous est possible d'atteindre n'importe quel objectif, de repousser n'importe quel obstacle, de récolter n'importe quelle récompense.

Rendons grâce pour la patience

«Grâce à la patience, il nous est possible d'atteindre n'importe quel objectif, de repousser n'importe quel obstacle, de récolter n'importe quelle récompense.»

La pensée du possible

Nous pouvons tous choisir entre être optimistes et être pessimistes. Si nous choisissons d'être optimistes, nos rêves ont la possibilité de devenir réalité; si nous choisissons d'être pessimistes, ils peuvent ne pas le devenir.

Les penseurs du possible croient que tout ce qui peut être conçu peut, avec de la foi, être atteint. Si nous permettons à nos esprits de dépasser les réalités tangibles et à notre foi de s'étirer au-delà du doute de soi, nous pourrons alors réaliser l'impossible. Grâce à l'habileté de notre imagination de se concentrer sur des buts et de transformer par l'imaginaire l'existence ténue de la vie, nous pouvons créer nos rêves avec fermeté et rendre toute chose possible.

Bien sûr, le résultat pourrait venir du travail accompli par les autres, mais il se manifestera sûrement en proportion de la puissance et de l'intensité de notre foi. Les doutes ressentis par les autres doivent simplement ajouter du carburant à notre propre détermination, car ceux qui croient vraiment et fortement aux pouvoirs de la pensée du possible ne peuvent être freinés dans leur élan. C'est ainsi que s'accomplissent toutes les grandes œuvres.

Commençons maintenant à croire aux possibilités. La prochaine fois que nous nous retrouverons face à un dilemme embarrassant, considérons que, peu importe sa difficulté,il se trouve un nombre infini de solutions possibles. Ne cédons jamais. En croyant que tout est possible, nous trouverons toujours des moyens de surmonter des obstacles qui nous semblaient pourtant impossibles à surmonter. Sachons bien que la pensée du possible est la voie de Dieu.

Rendons grâce pour la pensée du possible

Là où il y a une volonté, il y a une voie

Plusieurs obstacles se trouvent sur la route de la vie, certains sont plus élevés et plus difficiles que d'autres. Lorsque notre course nous entraîne vers un obstacle, nous pouvons soit y aller et sauter, soit nous glisser craintivement vers un arrêt. Les deux choix sont disponibles et donnent des résultats. Sauter l'obstacle nous renforce, augmente notre confiance en nous-mêmes et nous permet de continuer à franchir des barrières de plus en plus importantes qui nous mèneront à une récompense riche et bienfaisante; cela nous permet de grandir. Mais décider que l'obstacle est insurmontable et choisir de ne pas l'enjamber diminue notre estime de nous-mêmes, nous donne une attitude défaitiste et nous force à faire un détour sur la pente épineuse de la médiocrité.

Si nous comprenons que là où il y a une volonté, il y a une voie, nous pouvons transformer une entrave infranchissable en un défi à relever. Chaque pari que nous tenons nous gagne l'appui d'un ban à l'intérieur de notre être qui nous suivra et nous encouragera jusqu'à notre victoire.

La prochaine fois que nous rencontrerons dans notre course une haie élevée, ne prenons pas pour acquis qu'elle est insurmontable; comprenons plutôt que si nous mettons en œuvre des esprits illimités et des volontés déterminées, nous pouvons résoudre l'insoluble, vaincre l'invincible, surmonter l'insurmontable. Si nous croyons que nous le pouvons, nous le pouvons! Commençons dès maintenant à libérer le pouvoir magnifique de notre volonté, et planons joyeusement au-dessus des obstacles de la vie afin de récolter nos multiples récompenses.

Rendons grâce pour nos volontés

«Chaque défi que nous relevons,
chaque pari que nous tenons,
nous gagne l'appui d'un ban à l'intérieur
de notre être qui nous suivra et
nous encouragera jusqu'à la victoire.»

La chance est la rencontre entre préparation et occasion

Rien ne nous arrive vraiment par chance. Ce qui semble être de la chance est en réalité une attraction magnétique créée par nos mots, nos actes et nos services. Lorsque nos expériences quotidiennes semblent avoir de la veine, remplissant nos désirs tels des rêves qui se réalisent; ce n'est pas par chance, mais grâce au travail, à la persévérance et à la rencontre entre préparation et occasion.

Le génie ne nous vient pas de la bonne fortune, mais par 5% d'inspiration et 95% de transpiration. Les récompenses sont des résultats de causes à effets. Derrière chaque personne récompensée, nous trouvons beaucoup de travail, de pensée et de dévouement. Consciemment ou inconsciemment, ces gens se sont fixé des buts, les ont visualisés, ont agi et persévéré.

Si nous nous limitons à compter sur la chance, nous allons attendre toute l'éternité. Il est très rare que quelque chose s'accomplisse par la procrastination. Ceux qui obtiennent le plus de la vie sont ceux qui y mettent le plus d'efforts. Au lieu d'attendre les occasions chanceuses, nous devons créer nos propres occasions et nous préparer à les découvrir, car elles ne se présentent à nous que si nos esprits, nos corps et nos âmes sont prêts. Nous devons nous préparer en agissant et agir en nous préparant.

Disposons-nous à recevoir les grâces de l'existence en suivant les lois et les réflexions sur la vie. C'est simplement une illusion que de croire que certaines vies sont plus chanceuses que d'autres. Nul d'entre nous n'est plus chanceux qu'un autre, mais nous pouvons tous récolter des récompenses infinies en connaissant les pouvoirs de la loi de cause à effet, en mettant en marche notre matière spirituelle et en étant préparés à rencontrer l'occasion souhaitée. Ne nous abaissons pas à attendre la médiocrité de la chance. Grimpons l'échelle victorieuse de l'initiative, et saisissons-nous de l'opportunité. Chaque jour nous offre la grande occasion d'une vie.

Rendons grâce pour la préparation et l'occasion

Notre pouvoir de visualisation

Au cours de l'histoire connue de l'humanité, des hiéroglyphes et symboles de l'Égypte, jusqu'aux signes et panneaux d'affichage d'aujourd'hui, nous avons utilisé des formes graphiques de communication afin de nous diriger avec les autres vers des buts que nous avons désirés.

On croit que nos pensées ne sont que des langages graphiques ou des traces harmoniques colorées qui se communiquent par l'action du corps. Ces formes de communication incluent autant les maniérismes musculaires et les postures que les réactions biochimiques.

De la même façon que le président d'une vaste corporation peut envoyer une commande autour du monde par téléphone, nos imaginations peuvent envoyer des ordres le long de nos corps par la voie de nos systèmes nerveux. Nous pouvons tous contracter certains muscles à volonté, certains plus facilement que d'autres, mais peu d'entre nous se rendent compte que chacune des cellules de notre corps est dépendante de notre volonté.

Il y a quelques années, j'ai rencontré un homme qui était l'incarnation même du tonus musculaire. Il était extrêmement bien bâti et certainement très agile. Je lui ai demandé comment il était parvenu à une telle excellence et fus surpris d'apprendre qu'il ne s'entraînait que rarement. Au lieu de cela, il pratiquait constamment la respiration profonde et rythmée et imaginait le but désiré: un parfait tonus musculaire. Il ne faisait que placer devant l'œil de son esprit une image de son but et laissait son corps se modeler. Plus j'avance dans ma compréhension de la physiologie humaine, plus j'en viens à constater que les processus mental et psychique travaillent ensemble.

Nous sommes ce que nous pensons être, et ce que nous pensons est ce que notre esprit voit.

Vous trouverez ici un échantillon de visualisation guidée. Nous pouvons l'utiliser en tout temps pour tous les besoins. Il vous suffit de vous y conformer. Permettons-nous de commencer; fermons les yeux et choisissons une posture confortable et saine.

1. Inspirons, expirons lentement, relaxons, et laissons-nous aller.
2. À l'aide de notre œil spirituel, visualisons nos problèmes; trouvons un mot unique qui saura les définir.
3. Remarquons sa sonorité, son impression, son odeur, son goût et sa couleur.
4. Remarquons sa grandeur, son mouvement, son intensité, sa localisation (direction, distance) et autres souvenirs qui lui seraient associés.
5. Une fois toutes ces pensées réunies, ouvrons nos yeux et prenons-en note par écrit.
6. En fermant nos yeux à nouveau, imaginons une seconde fois toutes ces distinctions et entourons cette expérience sensorielle d'un cadre noir.
7. Laissons les choses telles qu'elles sont; ouvrons nos yeux. Puis, fermons-les.
8. À l'aide de notre œil spirituel, visualisons (sans limites) la solution idéale de remplacement du problème.
9. Remarquons le son, l'impression, l'odeur, le goût, la couleur de cette solution de remplacement ainsi que le mot unique qui saurait la définir.
10. Remarquons sa grandeur, son mouvement, son intensité, sa localisation et autres souvenirs ou fantasmes qui pourraient y être associés.
11. Une fois ces pensées réunies, ouvrons nos yeux et prenons-en note par écrit.

12. Fermons nos yeux encore et imaginons à nouveau ces distinctions entourées d'un cadre blanc.
13. Laissons les choses telles qu'elles sont; ouvrons nos yeux. Puis, refermons-les.
14. Imaginons les expériences encadrées de noir et de blanc telles qu'elles sont dans leur totalité.
15. Visualisons le cadre blanc qui bombarde le cadre noir, le détruisant complètement en le faisant exploser.
16. Ouvrez vos yeux.
17. Répétez les étapes 15 et 16 au moins à sept reprises ou jusqu'à ce que l'expérience encadrée de noir soit dématérialisée ou qu'elle ne puisse être visualisée telle qu'elle était.

    Ensuite, rions et jouissons de nos esprits.

Rendons grâce pour notre œil spirituel

«Chacune des cellules de notre corps est dépendante de notre volonté.»

Notre pouvoir d'affirmation

Au commencement était le Verbe et il était de nature divine. Dès le début, les mots sont demeurés pour nous un moyen majeur de communication. En fait, ce qui nous distingue des autres formes de vie, ce sont ces régions de nos cerveaux qui semblent être spécialisées dans les processus reliés au langage.

Émettre des mots de façon affirmative nous permet de cristalliser nos pensées et nos impressions et d'augmenter le magnétisme qui est responsable de l'acquisition de plusieurs grâces de la vie. Les sons verbalisés possèdent les caractéristiques de fréquence, d'intensité et de durée. Nos mots démontrent ces caractéristiques à l'aide de vibrations qui sont produites par notre souffle, nos cordes vocales et les autres modes résonnants fournis par notre corps. Chaque mot ou inflexion verbale possède des localisations et des caractéristiques vibratoires uniques, et chacune a son effet. Chaque émission syllabique d'un mot vibre au cœur du code génétique de chacune de nos cellules et il en résulte la formation d'une nouvelle sécrétion interne. Ces sécrétions se reflètent dans notre façon de dépeindre les images à l'aide de nos mots.

Qui plus est, les vibrations contenues dans nos mots génèrent l'harmonie ou l'interférence à l'intérieur de nous-mêmes ou des autres; par conséquent, chaque mot est un créateur déguisé et chacun est une grâce ou une malédiction.

Souvenez-vous, nos voix sont les instruments sur lesquels nous jouons la symphonie de la vie. Pour chaque pensée, il ya un mot; pour chaque mot, une création.

Afin de nous façonner comme nous le souhaitons, laissons-nous guider par les lignes de conduite suivantes:

1. Identifions et écartons tous les mots qui nous limitent et qui sous-entendent ce qui n'est pas de nature positive (peux pas, ne fais pas, ne veux pas, non, si, mais, peut-être, etc.);
2. Remplaçons-les par des mots qui sous-entendent tout ce qui est de nature illimitée ou encore incorporons ces mots dans notre discours (oui, je le peux, je le ferai, absolument, etc.);
3. Accolez les mots «Je suis» devant tous les adjectifs décrivant ce que nous désirons être;
4. Utilisons tous les mots ou les noms spirituels le plus souvent possible;
5. Chantons et harmonisons ces noms;
6. Fermons nos yeux et observons les images évoquées par ces noms;
7. Jouissons de la paix de l'esprit et de l'heureuse guérison qui en découlent.

Proclamer qui nous sommes

Les mots que nous utilisons sont les instruments sur lesquels nous interprétons la symphonie de la vie. Ils révèlent nos émotions et expriment les sentiments qui ballottent dans nos esprits. Ils nous indiquent notre état d'esprit et nous parlent d'hier, d'aujourd'hui et de demain. Ils peuvent nous attirer nos peines et construire nos multiples rêves. Grâce aux mots, nous pouvons partager nos pensées avec les autres, comme des instantanés de nos esprits.

Les mots agissent en tant qu'énergies au potentiel illimité qui traversent les domaines infinis de la vie. Il n'y a pas de mots qui ne sont pas entendus, et il n'y en a pas qui ne possèdent pas de pouvoir. Chaque mot que nous émettons moule la substance de la vie elle-même selon notre propre création. En disant que nous sommes bien, nous façonnons notre vie à l'aide d'un pouvoir de guérison. Les mots sont capables d'anéantir ou de générer nos multiples bienfaits et récompenses. Nous devons, par conséquent, faire attention à ce que nous disons.

Commençons dès maintenant à utiliser sagement les mots, choisissant ceux qui proclament que nous sommes sages, aimants, généreux, équilibrés, sains, prospères, enthousiastes et bénis. Émettre à voix haute ces attitudes positives, c'est expérimenter leurs gratifiantes énergies. N'utilisons que l'affirmative et, si nous n'avons rien de valable ou de positif à dire, demeurons silencieux. Écoutons de près tous les mots que nous prononçons, et souvenons-nous qu'ils nous aident à faire de nous ce que nous sommes.

Rendons grâce pour nos mots

Le souffle de vie

Respirer et vivre sont des termes tellement synonymes que nous en sommes venus à associer la vie et la mort à l'inspiration et à l'expiration. La respiration, ce merveilleux mouvement d'expansion et de contraction, conduit et harmonise toutes nos expériences. Il est dit que, si notre esprit vagabonde, il en va de même de notre respiration et vice versa.

L'oxygène inspiré fournit de l'énergie à nos cellules qui ont besoin d'être chargées d'oxygène au maximum pour une guérison optimale de nos plaintes; de simples observations révèlent la relation entre la qualité de notre respiration, l'état de notre vie et notre santé. Nous sommes une nation d'épaules serrées et d'abdomens relâchés et cela est en grande partie dû à une mauvaise façon de respirer.

Bien qu'il ne soit ni possible ni nécessaire de gonfler complètement nos poumons lors de chaque respiration, une respiration vraiment complète est une inspiration. Une respiration rythmée et entière devrait être périodiquement utilisée dans le but de remplir nos poumons à pleine capacité et d'extraire, à partir de l'air, de grandes quantités de force de vie.

Pour pratiquer la respiration rythmée, il nous suffit de suivre les cinq étapes suivantes. Elles peuvent être exécutées en position debout, assise ou couchée.

1. Expirez profondément par le nez en contractant complètement l'estomac.
2. Inspirez lentement par le nez en gonflant l'abdomen et la poitrine et en levant les épaules vers le haut.
3. Retenez votre souffle pour quelques secondes, selon votre capacité.

4. Expirez de la façon contraire en abaissant lentement les épaules, en relaxant la poitrine et en contractant l'abdomen.
5. Répétez lentement, vite, plus vite, lentement jusqu'à ce que la figure rougisse, le cou se détende et l'esprit se stabilise.

Il est nécessaire de bien pratiquer cet exercice pour acquérir une respiration aisée, complète et équilibrée. Deux sessions de pratique par jour, de 15 minutes chacune, devraient offrir de bons résultats. Étant donné que la plupart d'entre nous tenons nos épaules serrées et nos abdomens relâchés, il faut particulièrement mettre l'emphase sur la maîtrise des étapes 1 à 3.

Cette simple expérience de vie crée de l'harmonie et de l'équilibre tout le long de notre système nerveux, ce qui nous assurera de jouir d'une vie radieuse, saine et infinie. Souvenons-nous d'utiliser ce simple cadeau divin afin de profiter de la vie au maximum.

Rendons grâce pour le souffle de vie

L'eau, le dissolvant universel

Il existe en chacun de nous une mer primordiale portative; toutes nos cellules sont des océans miniatures engloutis dans un domaine océanique encore plus grand. Cette mer continue contient la plupart des éléments de la terre, mais le dissolvant universel que l'on appelle «eau», soit dans sa forme simple ou dans ses formes modifiées telles que les graisses, les protéines, les hydrates de carbone ou les acides nucléiques, constitue entre 70 et 90% de nos corps.

L'être humain est surtout constitué d'eau et d'une très petite quantité de substance minérale.

Tous nos organes, de nos poumons à nos intestins, ne peuvent fonctionner sans une quantité d'eau adéquate. Toutes nos sécrétions internes, des hormones jusqu'aux enzymes digestifs, nécessitent une concentration idéale d'eau vivifiante. Toutes nos réactions enzymatiques et chimiques nécessitent un pH idéal, en somme, une concentration parfaite des constituants de l'eau.

En raison de l'importance de cette eau, notre corps possède des mécanismes qui maintiennent un environnement océanique idéal à l'intérieur de chaque cellule. Mais sans un apport quotidien adéquat, ces mécanismes offrent peu de substance sur laquelle travailler. Il est rare que nous buvions de l'eau à l'excès; la plupart du temps, notre alimentation en eau est insuffisante pour nous aider à éliminer adéquatement nos déchets.

La première chose à faire chaque matin, c'est de boire de l'eau pure et propre. Sirotons-la lentement. En général, la quantité idéale à consommer est entre 4 et 10 verres par jour — l'eau et les liquides qui contiennent de l'eau ne sont pas pareils, alors il ne faut pas les substituer.

Ne sous-estimons pas les effets puissants de cette incroyable substance. Expérimentons les effets de sa fontaine de Jouvence et jouissons d'un meilleur tonus musculaire, d'une clarté mentale accrue, d'une élocution plus précise et facile et d'une digestion et élimination plus efficaces.

Rendons grâce pour l'eau pure

Appliquer les règles diététiques universelles

Des formes unicellulaires moins développées jusqu'à la haute complexité de l'homme, toutes les cellules vivantes ont besoin d'une assimilation (aliments) et d'une excrétion (déchets) adéquates et équilibrées. Il est dit que nous sommes ce que nous consommons; au lieu de cela, nous pourrions dire que nous sommes ce que nous absorbons et retenons.

Notre guide alimentaire se doit d'être adéquat, mais modéré, simple et complet. Plus longtemps une forme de nourriture aura existé, plus certaine sera son utilité comme aliment. Les consommateurs d'aliments naturels ne sont pas que des capricieux de la nourriture ou du régime alimentaire; les fines gueules en fait de nourriture ne font que suivre les modes.

Nous obtenons le plus de valeur de nos aliments lorsque nous les mastiquons beaucoup et que nous les avalons lentement en laissant leur goût, leur odeur et leur apparence stimuler nos sens. Cette façon d'apprécier la nourriture déclenche des procédés qui augmentent la capacité du corps d'utiliser la nourriture.

Vous trouverez ci-dessous une liste d'abus diététiques communs. Ne sous-estimons pas leurs méfaits.

Manger à toute vitesse;
Manger quand nous sommes troublés;
Manger en sachant que nous ne devrions pas;
Manger car c'est le temps et non par faim;
Manger à en être démesurément repu, ou engourdi et endormi;
Manger un repas copieux avant de se mettre au lit;
Manger la même nourriture jour après jour;

Manger trop ou trop peu;
Manger à intervalles irréguliers;
Manger des quantités inadéquates de protéines, de matières grasses, vitamines, etc.;
Manger des aliments qui ont été raffinés, dont on a réduit plutôt qu'amélioré les qualités nutritives;
Manger dans une position inconfortable;
Manger des aliments brûlés, trop cuits, sans valeur nutritive;
Manger trop de matières grasses, d'huiles, de graisses végétales, surtout si elles sont rances;
Manger trop d'un type d'aliment, surtout le sucre;
Manger parce qu'il y a de la nourriture;
Manger parce que nos émotions sont perturbées;
Manger en combinant trop de variétés d'aliments;
Manger des aliments que nous détestons réellement;
Manger trop de collations;
Manger une surabondance d'aliments qui produisent des flatulences;
Manger pour des raisons pratiques et non pour la qualité des mets;
Manger sans remercier Dieu au préalable.

Les aliments dont nous faisons en général une consommation abusive sont la viande, le sucre, l'alcool, les tomates, le chocolat, la crème glacée, les boissons sans alcool, les farines raffinées, le lait et le fromage, les pommes de terre frites et les croustilles.

N'oubliez pas: ce qui entre à l'intérieur de nous sans en ressortir constitue ce que nous sommes.

Rendons grâce pour la nourriture vivifiante

Exercices pour obtenir la sagesse et la longévité

Notre vie est en quelque sorte polarisée. Nous nous éveillons, puis nous nous couchons; nous nous étirons à l'aurore, puis nous nous enroulons telle une balle au crépuscule; nous accueillons un soleil d'or, puis nous restons près d'une lune d'argent. Nous vivons comme des créatures périodiques, dans des environnements cycliques. Nos journées sont là pour l'action, et nos nuits, pour la relaxation.

Afin de vivre en équilibre, nous devons nous engager avec modération à effectuer une somme d'actions dans le but de nous harmoniser avec notre environnement. Sans cet exercice si essentiel, il nous serait impossible de penser vivre une existence physique.

Lorsque nous observons ces personnes qui parviennent à l'âge mûr, nous nous rendons compte que la plupart d'entre eux pratiquent des formes quotidiennes et rituelles de mouvement. Grâce à ces activités, qu'il s'agisse de la natation, du jardinage ou de la danse, ces âmes sages facilitent le fonctionnement de leur vie. N'oubliez pas: nos vies sont dynamiques.

Il nous serait possible de dire que la vie est comme une histoire comportant plusieurs maximes. Chacune d'elles représente une période de nos vies. Pour que chaque phrase soit complète, elle doit contenir un nom et un verbe, et dans l'histoire de notre vie, nous sommes les noms, et les verbes sont les actions. Sachons vivre une vie complète en marchant et en faisant de la course à pied, en nous baignant et en patinant, en dansant et en faisant l'amour, en jouant au tennis et au racquetball, en participant énergiquement et avec tout notre cœur à chacune des formes d'exercice que nous puissions imaginer. Notre désir de vivre est démontré par nos activités quotidiennes.

Commençons notre journée avec les mouvements d'étirement et de roulement suivants, mouvements qui s'apparentent à ceux du chat: tout en inspirant, étirons-nous au maximum; tout en expirant, faisons travailler les membres de notre corps: nos yeux et notre nez, notre visage et notre cou, notre poitrine et notre abdomen, nos coudes et nos genoux, nos poignets et nos chevilles, nos doigts et nos orteils.

Nous pouvons compter sur deux médecins d'urgence, disponibles 24 heures sur 24: notre jambe gauche et notre jambe droite.

Rendons grâce pour le mouvement éternel perpétuel

Apprendre à se reposer

À notre éveil au monde extérieur, nous nous sentons bien reposés par notre séjour en notre monde intérieur. Le repos et l'activité sont des compléments l'un de l'autre. Il existe une pause entre chaque respiration, un vide entre chaque étoile.

Notre moi supérieur s'efforce continuellement d'atteindre un équilibre entre notre monde extérieur basé sur les sens et notre existence contemplative intérieure. Sans cet équilibre, point d'harmonie. Il est déséquilibré d'être soit extérieurement actif sans repos ou d'être intérieurement détendu sans action. L'harmonie nécessite les deux états.

Plusieurs formes de repos s'offrent à nous: sommeil, prière, méditation, se promener dans les bois ou tout simplement se coucher. La façon de se reposer est de se tourner vers l'intérieur pour y trouver un moment de paix. Voici quelques composantes essentielles du repos:

Détendons-nous et laissons-nous aller, de façon à nous rajeunir et nous régénérer;

Jouissons de notre être intérieur et de ses multiples rêves de grâce;

Rendons notre moi inférieur à notre divin moi spirituel;

Ayons confiance en la conduite et la guérison divines.

Oui, se reposer c'est guérir toutes les blessures de la journée. Apprenons à nous détendre, de façon à être frais et dispos pour ce qui viendra. Abandonnons pour un moment notre monde extérieur et laissons notre monde intérieur nous préparer la voie.

Rendons grâce pour le repos

*«Apprenons à nous détendre,
de façon à être frais et dispos
pour ce qui viendra.»*

Les clés de la prière et de la méditation quotidiennes

Chaque jour est rempli d'occasions de vivre une certaine spiritualité et chacun de nous peut en profiter pour en tirer les multiples récompenses satisfaisantes. De telles occasions prennent un certain nombre de formes, et l'une d'entre elle est le temps.

Chaque moment que le temps nous donne nous offre une occasion précieuse de communiquer avec notre énergie spirituelle, notre moi supérieur. Ces occasions peuvent être utilisées de plusieurs façons réconfortantes; deux d'entre elles sont particulièrement gratifiantes, la prière et la méditation, et constituent des moyens puissants et étroitement reliés de communiquer avec l'être divin.

Grâce à la prière et la méditation, nous sommes sous la conduite divine, une gouverne qui peut nous aider face à n'importe lequel de nos problèmes quotidiens. La prière et la méditation nous fournissent une grande sagesse et une grande connaissance, elles nous apportent la vision intérieure et l'inspiration. Elles nous offrent des moyens de comprendre les mystères de la vie.

Grâce à la prière et la méditation, nous pouvons élever notre conscience vers des fréquences plus actives et nous éloigner des états inférieurs de réaction. Nos esprits supérieurs peuvent échapper à l'étreinte de nos esprits inférieurs et planer dans les splendeurs de nos âmes. Plusieurs paroles de vérité ont été transmises par la prière et la méditation: santé, humilité, larmes de joie, paix de l'esprit et plus s'accomplissent sur cette voie.

Assis à prier ou à méditer, nous pouvons en venir à connaître véritablement qui nous sommes. En priant et en méditant, nous permettons à notre système nerveux de se débarrasser des tensions et de rééquilibrer ce qui s'était éparpillé. Grâce à ces moyens, nous pouvons étendre notre conscience des passés, présents et futurs illusoires et nous diriger vers nos nouveaux buts et nos nouveaux rêves. Par le biais de ces formes de communication divine, nous pouvons commencer à apprécier notre rôle significatif, quoique insignifiant, dans cet univers puissant et éblouissant.

Le temps est certainement l'un de nos meilleurs alliés, surtout s'il est utilisé sagement par la prière et la méditation. Nous pouvons profiter de n'importe quel moment dans le temps pour communiquer avec l'au-delà; n'attendons pas que les temps s'obscurcissent, ou que la peur ou le danger soient arrivés. Sachons apprendre à utiliser nos prières dans un but de prévention, et non d'urgence en cas de crise. Si nous prions et méditons régulièrement, nous serons remplis de reconnaissance plutôt que de douleur.

Alors, prenons l'habitude quotidienne de nous asseoir, de nous détendre, d'ouvrir notre cœur et notre esprit et de simplement laisser la divine sagesse nous éclairer. Étendons nos esprits jusqu'aux étoiles par la méditation profonde.

Rendons grâce pour la prière et la méditation

Méditation divine I
La pulsation de la vie au-delà

Au-delà, mais toutefois au-dedans, de notre être tangible, résident des châteaux d'une ineffable beauté, un royaume des plus convoités, un palais des mystères. À l'intérieur de notre moi subtil repose le pouvoir d'engendrer des actions inexplicables et le potentiel qui nous permette de nous évader de toutes les illusions et de repousser toutes les limites. Notre volonté, une force derrière notre réalité, nous propulse à jamais dans le présent, tout en nous permettant de nous libérer de nos étapes antérieures.

Ces expériences de vie données par Dieu, ces leçons qui précèdent notre montée intérieure permettent à notre vie de s'épanouir, comme le font les pétales d'une rose. Quelle beauté, quelle gloire, quelle splendide patience! Le voyage entier du retour en est un de joie et d'exploration. Tout en jouant dans le jardin, là où l'on mange du fruit d'entre les fruits, le murmure du silence guide notre chemin. C'est l'éternel commencement pour tous. Nos yeux s'ouvrent, notre esprit grandit, allant vers l'unité. La vie est un rythme de vie, de plus de vie encore, toujours est pour toujours, le pardon est pour tous. Nous-mêmes, compagnons de la vie: une vie d'entre les vies, une vie qui s'illumine au-delà de la connaissance, fredonnant un courant si magnifique et si plein d'amour que nous en fondons d'étonnement. La vie est soleil et pluie, chaleur et humidité, expansion et condensation.

Souvenez-vous du futur tel qu'il est maintenant, et partagez cette présence avec tous. Fournissez à l'amour ses expressions, son ouverture vers la vie. Sondez la beauté de notre éternité et aspergez-vous de sa douce et unique nature. Chantez avec un oiseau du paradis, libre comme la neige. Planez, comme une colombe, parmi les miroitements de la nature elle-même, vers un nid des plus élevés. Commençons notre promenade, prenons-nous la main avec amour, partageons avec tous cette joie indicible.

Ah! Comme la vie est merveilleuse!

Rendons grâce pour tout

Méditation divine II
Un voyage dans l'omnipotence

De l'inconcevable immensité du ciel spirituel nous viennent l'océan, les rivières, les eaux de la vie. C'est de cet océan que le souffle et la volonté de Dieu façonnent notre création. À travers ses poumons, de par ses pores, son souffle divin déclenche, par spirales, des mouvements de vie qui déploient et énergisent les forces complémentaires de la nature.

Notre monde n'est qu'un point dans ce vaste océan. Avec grâce, Dieu ajoute sa flore et sa faune généreuses, et ce sont ces graines et ces verdures vivifiantes qui nous fournissent notre régime de vie. Pour chacun de nous, aucun but ne semble plus vaste et essentiel que la compréhension du Dieu divin envers nous. Les suprêmes visualisations dans notre esprit et les mots ultimes dans nos souffles sont les canaux qui nous lient là-haut à la grande demeure de Dieu. En exerçant avec joie notre amour, notre service et notre dévotion à cette grande cause, nous nous garantissons notre vie éternelle tant recherchée.

Tout comme la fleur mystérieuse de Dieu s'épanouit aux pieds de chaque humain, nos vies s'épanouissent en toute beauté. En cette période de querelle, c'est cette voie qui est la nôtre.

Remercions Dieu,
remercions Dieu...

«La prière et la méditation
nous fournissent une grande sagesse et
une grande connaissance,
elles nous apportent
la vision intérieure et l'inspiration.»

Trouver notre rythme

La plupart d'entre nous avons, à un moment ou l'autre de notre vie, vécu des sentiments désagréables qui nous ont averti que nous n'étions pas synchronisés par rapport à nos biorythmes naturels. Chacun de nous, s'il veut profiter des grâces de la vie, doit se trouver un rythme qui accompagne sa vie quotidienne.

À moins que nous nous levions à heures régulières chaque jour, notre niveau d'énergie connaîtra des fluctuations et nos habitudes d'élimination seront dérangées. Nous connaîtrons également ce genre de symptômes que sont les crampes, les flatulences, un déséquilibre du sucre dans le sang et un horaire sujet à révision si nous ne mangeons pas à heures régulières à chaque jour. Et le manque de cadence dans notre travail, nos exercices et notre respiration nous causera aussi des dérangements. Nous ne pouvons tolérer longtemps cette vie arythmique sans qu'elle ne laisse de traces. Certains d'entre nous sont plus sensibles que d'autres à ces rythmes changeants, mais nous devons tous apprendre à écouter nos sentiments intérieurs lorsqu'ils nous avertissent d'un style de vie turbulent.

Essayons, pendant une semaine, de nous lever chaque matin à des heures différentes — 6 h un jour, 9 h le lendemain, par exemple. Faisons de même lorsque nous nous couchons le soir et mangeons un nombre varié de repas à des heures irrégulières chaque jour. Toujours dans le but de continuer cette expérience, devenons également inconstants dans notre travail, notre respiration et nos exercices. Et nous comprendrons clairement et rapidement l'importance du rythme.

En réalité, plusieurs ressentiront l'importance du rythme sans passer par une expérience aussi bizarre que celle-là, mais trop souvent, nous n'écoutons pas ce que nous disent notre esprit et notre corps. De la même façon que nous éprouvons la fatigue due au décalage horaire lorsque nous prenons l'avion, nous ressentons un déphasage physique lorsque nous vivons sans rythme précis. Tâchons de prévenir ceci en trouvant simplement un rythme et en vivant en harmonie avec lui.

∽ *Rendons grâce pour le rythme* ∽

Trouver notre équilibre

De l'équilibre dans nos vies résultent plusieurs délicieuses récompenses. Nous avons besoin d'équilibre dans notre diète, nos mots, nos actes, nos démarches et nos émotions, car les extrêmes mènent lentement à la destruction.

En fait, l'équilibre et la modération sont d'une importance tellement vitale que notre corps a développé plusieurs mécanismes homéostatiques ou rétroactifs dans le but de maintenir cet état ravissant. Par exemple, un excès d'activités déclenchera de la fatigue qui nous ralentira; trop peu d'activités entraîne un désir nerveux de bouger. Un surplus d'aliments occasionne un sentiment de lourdeur, une aversion pour la nourriture et une toxicité; trop peu d'aliments provoque la faim. Trop de paroles déclenche un enrouement; trop peu de paroles suscite le désir de la conversation. Chacun de ces magnifiques mécanismes rétroactifs nous fait ballotter vers le retour à notre équilibre.

Nous oscillons entre deux extrêmes mais, au milieu, se trouve ce point où nous vivons le plus grand des sentiments de bien-être. Le fait de parvenir à ce point central nous fournit la sagesse et le carburant nécessaires à une vie, saine, heureuse et prospère.

Rendons grâce pour la modération

Nos cerveaux complémentaires

Dans toutes les dimensions que sont le temps, la matière et l'espace résident des multitudes de dichotomies complémentaires, résultat inévitable de la création en constante évolution de l'univers. Pour que quoi que ce soit existe en trois dimensions tangibles, il faut pouvoir compter sur les perspectives suivantes: gauche et droite, haut et bas, intérieur et extérieur, devant et derrière. Comment une forme perceptible existerait-elle sans ces opposés relatifs?

Nous sommes de matière et d'esprit. Si l'un de ces éléments manquait, nous serions sans mouvement et sans expression. Ce matériel tangible et cette forme spirituelle, pourtant illusoires, nous servent merveilleusement de véhicule pour faire l'expérience de la vie, enveloppant toutes les dichotomies citées plus haut.

Notre tissu nerveux, ou cerveau, est le tissu le plus hautement évolué de notre être. Cette merveilleuse structure hologramme, qui peut capter et émettre des vibrations similaires aux ondes radio, exprime elle aussi les dichotomies de la vie. Notre cerveau possède un dessus et un dessous, une droite et une gauche, un avant et un arrière, un intérieur et un extérieur.

Notre conscience, en évoluant à travers le temps, l'espace et la matière, utilise ce tissu complémentaire pour accumuler des expériences de vie. Il y a une infinité de points entre le haut et le bas, le devant et le derrière, et chacune de ces régions relatives représente une expérience unique de notre conscience. Si nous pointons notre conscience vers le devant, l'extérieur, le haut et la droite, nous connaîtrons un état d'esprit entièrement différent de celui que nous expérimenterions en la dirigeant vers l'arrière, l'intérieur, le bas et la gauche. Et, de la même façon que les mouvements de nos yeux, tels les cadrans d'une radio, peuvent changer les stations de notre conscience, un changement de notre conscience modifiera les cadrans de nos yeux. Les positions possibles sont infinies, mais chacune de celles que nous capterons constituera une autre pièce du casse-tête qu'est la vie.

Nous demandons le chaos et l'involution lorsque nous dirigeons notre conscience vers l'un ou l'autre des extrêmes de cette dichotomie et que nous la maintenons volontairement dans cette position. Laisser une région de notre conscience prendre plus d'importance que les autres régions, c'est nous attirer des différends et de la frustration. Par exemple, si nous faisons un trop fort usage du côté droit de notre cerveau et de ses facultés non-verbales, intuitives, analogiques, et spatio-visuelles, nous négligeons les fonctions de son côté gauche complémentaire et nous perdons nos habiletés verbales, logiques, temporelles et séquentielles. Nous dérivons ainsi dans la vie avec un état de conscience en déséquilibre.

Une position centrée, équilibrée de notre conscience est essentielle pour évoluer paisiblement; l'idéal est d'arriver à un usage conforme et équilibré des compléments de notre cerveau. Il nous est possible de maximiser notre évolution en centrant notre conscience précisément sur le point médian entre ces compléments — sur ce point où le haut et le bas, l'intérieur et l'extérieur, la gauche et la droite, l'avant et l'arrière coïncident. Cet équilibre s'applique à toutes les dichotomies de notre cerveau.

Nous devons utiliser uniformément tous les degrés infinis et toutes les fréquences à notre portée afin de vivre notre vie pleinement. En maintenant un esprit modéré, équilibré, centré, notre façon de recevoir la vie — et notre réaction à celle-ci — seront plus gratifiantes.

Rendons grâce pour l'équilibre

Si vous donnez à un homme un poisson, vous le nourrissez pour une journée; si vous lui enseignez à pêcher, vous le nourrissez pour la vie

Plusieurs d'entre nous avons connu des poussées périodiques et gênantes de flatulences, de dilatation et de crampes abdominales. Bien souvent, si nous sommes à un moment ou un emplacement approprié, nous répondrons à ces signes de détresse en laissant échapper des gaz de façon toute naturelle. Mais si les circonstances semblent inopportunes, nous utilisons assez souvent, pour nous soulager un antiacide ou autre.

Un antiacide est peut-être un moyen simple et efficace de nous débarrasser des symptômes, mais il ne constitue en aucun cas une véritable solution au dérangement sous-jacent car il est très rare que l'on retrouve dans notre corps de véritables déficiences antiacides. Continuer à prendre des antiacides pour nous soulager équivaudrait à couvrir les symptômes à l'aide d'un pansement adhésif.

Ne s'en tenir qu'à contrer ces signaux symptomatiques de détresse, c'est renier leur cause. Il existe toujours des raisons sous-jacentes aux symptômes d'inconfort. Nous devons en trouver la cause et la corriger si nous aspirons à un véritable apaisement. Pour s'attaquer à la cause réelle, il nous faut trouver laquelle de nos habitudes quotidiennes, par exemple manger, déclenche de tels accès.

Si nos crampes atteignent un point où de violentes douleurs se manifestent, nous recherchons souvent des conseils ou de l'aide professionnelle. Mais si notre conseiller nous offre de véritables solutions, nous nous retrouvons avec la capacité de prévenir de tels accès pour la durée de notre vie entière.

C'est nous qui décidons de ce que nous devons faire. Accepter le soulagement temporaire, c'est sortir perdant, mais rechercher des solutions authentiques nous permet de jouir d'une vie sans inconfort et de ressentir une paix qui nous vient de la connaissance. Nous devons rechercher, pour nos dérangements quotidiens, non des couvertures temporaires mais de véritables solutions. Nous devons rechercher l'avis de celui qui en connaît la cause sous-jacente.

Outre des accès périodiques de malaises abdominaux, une foule d'autres symptômes chimiques, structurels et psychologiques surgissent. Ces symptômes, sont aussi des signaux de détresse venant de causes ou de problèmes sous-jacents. Nous ne devons pas accepter, pour ces maux, un soulagement temporaire médiocre pas plus que nous ne le ferions pour notre estomac.

Sachons constater que la plupart de nos malaises nous viennent de nous-mêmes et qu'ils peuvent être allégés en changeant une quelconque habitude de notre vie quotidienne; pour cette raison, nous sommes les responsables. Et nous avons la responsabilité, face à nous-mêmes, de rechercher de véritables solutions pour notre vie entière. Si nous nous donnons un poisson, nous nous nourrissons pour une journée; si nous nous enseignons à pêcher, nous nous nourrissons pour la vie.

Rendons grâce pour notre choix

L'œuf ou la poule?

Lorsque nous ne sommes pas dans notre assiette, nous nous demandons souvent si cet état de déprime provient de causes physiques, chimiques ou psychologiques. C'est une illusion de croire que toutes les douleurs et sensations proviennent de causes physiques. C'est également une utopie de penser d'autre part que tous les sentiments ont une source mentale ou émotive.

Nos êtres sont des instruments multidimensionnels à plusieurs octaves. S'il y a dissonance dans une octave, nous pouvons être certains que les autres également manqueront d'harmonie. Lorsque notre corps physique est malade, nos êtres mental, chimique, émotif et spirituel souffrent d'une discordance similaire. Pour remettre au diapason toutes les notes de notre être, nous devons accorder l'instrument complet.

Trop souvent, nous présumons qu'un mal particulier est causé par quelque chose que nous avons fait, pensé, ou mangé. Mais qui saura lequel vient d'abord? Notre diète a-t-elle affecté notre esprit, et notre esprit a alors affecté nos actions? Ou était-ce nos actions qui ont empêché notre diète qui, à son tour, a entravé notre esprit? La seule chose que nous savons, c'est qu'un accord est composé de plusieurs notes, alors l'instrument complet doit être accordé. Il nous faut examiner nos habitudes diététiques et nos perspectives mentales, émotives, spirituelles et même notre état physique, si nous désirons atteindre l'harmonie. Comme nous le démontrons dans le diagramme suivant, chaque partie de notre être affecte les autres.

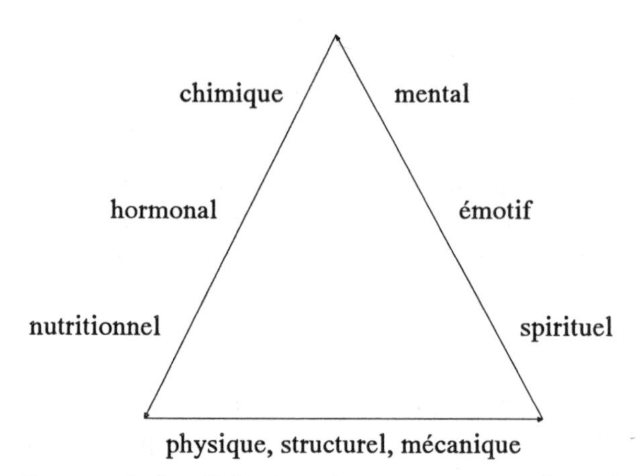

La prochaine fois que nous ne nous sentirons pas bien physiquement, ne limitons pas notre perception à chercher la cause. Ne nous soucions pas de savoir si la poule est venue en premier, ou si c'est l'œuf; reconnaissons notre responsabilité d'harmoniser la totalité de notre moi. Tâchons de comprendre qu'une énergie modérée appliquée à chaque côté de ce triangle résonnera dans la totalité de notre être, et que l'instrument s'en trouvera alors accordé.

Rendons grâce pour nos multiples octaves

«Nos êtres sont des instruments multidimensionnels à plusieurs octaves.»

L'amour, le plus grand des guérisseurs

Chaque jour, nous entendons parler des nouvelles merveilles de la science et de la médecine. Les services de santé évoluent à grands pas chaque année. De nouvelles drogues miracles, de nouvelles installations diagnostiques et de nouvelles formes de traitements nous sont constamment offerts. Tous ces grands accomplissements constituent des grâces pour l'humanité, car ils nous offrent une pénétration de plus en plus grande dans la compréhension des rouages de notre être. Mais l'une de ces merveilles surpasse toutes les autres: c'est que l'amour est le plus grand des guérisseurs.

Chaque jour, les médecins se voient confrontés à des cas où seul l'amour peut guérir. Aucune drogue, chirurgie, vitamine, aucune mise au point, aucune psychanalyse ne possède le pouvoir incroyable de l'amour. L'amour peut rééquilibrer celui qui est psychologiquement dérangé, remettre en état un système cardio-vasculaire embarrassé, accroître le rétablissement de n'importe quelle condition. L'amour doit être incorporé à toute forme de service de santé, car seul l'amour peut redonner la santé au malade.

Souvent, des individus visitent les bureaux de médecins à la recherche d'un soulagement immédiat et durable de conditions chroniques douloureuses. Mais ces symptômes sont le résultat des tensions et d'irritations accumulées tout au long d'années d'illusions sur des problèmes physiques et émotifs — des illusions négatives entretenues au mépris même de la vie. Atome par atome, cellule par cellule, ces illusions détruisent notre santé et nos vies. Mais en gardant l'amour dans nos cœurs et la paix de l'amour dans nos esprits, nous évacuerons ces illusions maladives de nous-mêmes. L'amour seul peut nous fournir les énergies curatives et nous débarrasser des tensions qui proviennent des illusions de la vie.

Tournons-nous, pour notre guérison, vers le plus grand des guérisseurs, car seul l'amour peut nous guérir. L'amour existe et persiste, car l'amour est infini et divin. Aucune cellule de notre être ne peut vivre sans amour.

Rendons grâce pour l'amour,
le plus grand des guérisseurs

«Aucune cellule de notre être ne peut vivre sans amour.»

Apprécier notre magnifique environnement

Nous vivons dans le cosmos de la vie. De tous ceux qui sont en rotation autour de nous jusqu'à ceux qui résident en notre sein, chaque système vivant vibre d'un message divin.

Chaque atome n'est qu'une réplique cosmique des systèmes solaires, galaxies et univers qui se déplacent tout autour de nous. À tous les niveaux de magnitude, à partir des infiniment petites particules ondulatoires qui interagissent à l'intérieur de nos atomes jusqu'au plus grand des univers qui s'étend hors de notre vue, il existe une multitude d'énergies vivantes porteuses de messages divins.

Qui peut nous dire où réside notre conscience? Est-elle verrouillée sous notre crâne, ou se promène-t-elle parmi les domaines infinis qui constituent le cosmos?

Imaginons-nous en train de voyager, à la vitesse de la lumière, sur une particule subatomique, saluant chaque dimension dont nous faisons l'expérience. Nous parcourons un atome et, en nous approchant du noyau, nous voyons la perfection de la place qu'il occupe au centre de son minuscule cosmos. Alors que nous voyageons vers l'extérieur, au-delà de la plus lointaine portée de notre univers, et encore au-delà d'un vide immense dans l'espace et finalement dans un autre univers semblable au nôtre, nous commençons à apprécier la magnitude de ce plan divin. Nous commençons à comprendre son message et sa raison d'être, nous commençons à ressentir sa perfection dans le temps.

En expérimentant, à l'aide de mouvements de contraction et d'expansion de notre conscience, les divers messages cosmiques, nous en venons à apprécier notre magnifique environnement. Ces environnements infiniment grands ou petits forment les hologrammes de la vie. Il n'y a pas de limites à notre conscience et, par conséquent, pas de limites là où nous sommes. En nous étendant vers l'extérieur afin de faire l'expérience d'un univers distant, nous englobons tout ce qui se trouve à l'intérieur du domaine de cet univers. Le schéma cosmique extérieur devient notre cosmos intérieur.

La plupart d'entre nous pouvons aisément nous apprécier en limitant notre être à ce qui est connu de nos sens. Mais lorsque nous dilatons ou contractons notre conscience afin d'englober d'autres dimensions, il devient plus difficile d'apprécier ce qui est là, au-dedans. Toutefois, il nous faut comprendre que nous ne connaissons pas de barrières, sauf celles que nous nous mettons à nous-mêmes. Si nous abattons ces barrières, l'univers nous appartient. Sachons apprécier notre magnifique environnement. Sachons nous apprécier.

Rendons grâce pour notre magnifique environnement

«Il n'y a pas de limites à notre conscience
et, par conséquent,
pas de limites là où nous sommes.»

Porter attention à l'orateur plutôt qu'au discours

Souvent, on demande aux orateurs: «Mais quelles sont vos références? Quelle formation ou éducation avez-vous reçue? Qui êtes-vous pour nous parler de tel ou tel sujet?»

Ceux qui possèdent la plus grande éducation en bonne et due forme ne sont pas nécessairement ceux qui ont la plus grande sagesse ou connaissance. Certains d'entre nous, même si nous avons accumulé beaucoup de connaissances pendant nos années d'éducation conventionnelle, avons acquis plus de sagesse grâce à nos interactions quotidiennes avec les autres. Chacun de nous enseigne aux autres, et ceux-cis agissent de même en retour. Les leçons que nous enseigne l'université de la vie constituent encore la meilleure éducation qui nous soit disponible.

La clé de l'apprentissage avec les autres, c'est de porter attention, non à qui parle, mais à ce qui a été dit. Les plus grandes vérités peuvent nous venir de la part des gens dont on s'y attend le moins et nous pouvons, même chez les esprits les plus simples, recueillir de grandes vérités. Soyons ouverts, afin d'accepter la vérité et la sagesse de la part de toutes les âmes.

À chaque fois que nous entendrons quelqu'un parler, ne nous soucions pas de demander ses références. À la place, laissons notre intuition dégager ce qu'il a à dire. Il serait pointilleux de se soucier des références d'un autre; cela ne ferait que dresser une barrière de vibrations qui nous empêcheraient de goûter à la sagesse que l'orateur aurait à nous offrir.

Sachons respecter tous ceux qui parlent, ne serait-ce que pour leur foi et leur détermination. Le seul fait de s'exprimer devant les autres constitue en soi la démonstration de plusieurs leçons. Sachons accepter la vérité de quelque source que ce soit, et constater que nous sommes en présence de ces orateurs pour une raison précise: apprendre. Sachons porter attention à l'orateur plutôt qu'au discours.

Rendons grâce pour ce qui a été dit

«Nous pouvons, même chez les esprits
les plus simples,
recueillir de grandes vérités.»

Toutes les grandes écritures révèlent des vérités

Chacun de nous interprète différemment les grands écrits des autres. Pour certains, les mots veulent dire ceci; pour d'autres, cela. Qui a raison et qui détermine la signification exacte de tels écrits? Nous ne connaissons pas nécessairement la véritable signification d'une œuvre simplement parce que nous la connaissons de fond en comble. Nul d'entre nous ne peut clamer que son interprétation d'un quelconque écrit est juste et complète, car dans, plusieurs livres sont enfouis des vérités et des messages inconnus. En relisant un volume donné, nous remarquons un changement de signification.

Les grands volumes de l'histoire ne s'interprètent pas différemment des autres types de livres. La Bible est un de ces volumes. Cette écriture révèle plusieurs vérités, mais elle en voile autant qu'elle en dégage. Chacun de nous l'expérimente de façon différente et nul n'a tort ou raison. Chacun de nous en extrait une certaine proportion de vérités et laisse aux autres le soin d'en découvrir le reste.

Tout comme la Bible révèle certaines vérités, il en est de même de d'autres grands ouvrages. Cependant, ils ne dévoileront leurs messages de vérité qu'à ceux qui les ouvriront pour en tourner les pages. Certains d'entre nous, à cause de nos croyances religieuses, avons limité notre lecture d'ouvrages provenant de d'autres religions. Une forme de limitation consiste à croire qu'un seul livre possède la vérité. Avoir un point de vue étroit et ne se restreindre qu'à une interprétation d'un seul volume équivaudrait à contredire le sens de la vie qui est de grandir, de s'étendre, d'expérimenter. Rechercher d'autres points de vue basés sur d'autres ouvrages religieux en plus des nôtres, c'est élargir et développer nos esprits.

Il y a de merveilleuses vérités contenues dans chacun des multiples ouvrages religieux, mais nous devons réaliser qu'elles ne se révèleront pas à nous si nous les discréditons délibérément. Nous ne pourrons faire l'expérience de l'amour et des vérités de Dieu contenues dans chacune des multiples écritures si nous n'en lisons qu'une; nous limiter seulement à la Bible ou à la Gita nous priverait de l'autre message. Il ne s'agit pas ici de dire que l'un de ces deux volumes omet les grandes vérités divines, mais plutôt qu'il n'y a pas de fin à notre compréhension de leurs significations.

Ouvrons nos yeux aux vérités des autres, afin que nous puissions apprécier les nôtres. Sachons reconnaître que nos interprétations des grandes œuvres écrites, ou de la vie elle-même, sont simplement les nôtres, ni plus ni moins grandioses que celles de quiconque. Lorsque nous nous faisons humbles et que nous nous rendons compte que nous avons beaucoup à apprendre, nous pouvons alors apprécier cette simple vérité: toutes les grandes écritures révèlent des vérités. Commençons à apprécier les autres pour leurs lectures.

Rendons grâce pour les grandes écritures

Apprendre à lire entre les lignes

Lire un livre dans son sens littéral nous offre une chance de saisir plusieurs messages, mais lire entre les lignes nous donne une occasion d'en apprendre beaucoup plus. Entre chaque mot qui est imprimé s'en cachent plusieurs qui ne le sont pas, et c'est en eux que l'on peut retrouver les intentions et les buts les plus profonds de l'auteur. De la même façon que l'on ne voit plus la forêt à cause des arbres, nous nous concentrons souvent tellement sur les mots imprimés que nous ratons ce qu'ils sous-entendent.

Commençons donc à chercher parmi ces espaces blancs et débusquons des significations sous-entendues. Sachons, par la méditation, dévoiler les expériences de l'auteur. Apprenons à voir la signification des mots, non seulement avec nos yeux, mais nos cerveaux; sachons apprendre à regarder par nos yeux, mais non à partir d'eux. En lisant de cette manière, nous pouvons passer de la simple vision à la perspicacité, expérimentant ainsi autant l'intention que la signification littérale.

Le degré de signification que nous puisons dans un livre ne dépend que de nous-mêmes. Que nous lisions pour le plaisir ou pour une compréhension philosophique, cela ne fait aucune différence; nous avons maintenant l'outil qui nous permettra de comprendre plus. Essayons de lire entre les lignes de notre prochain livre de façon à extraire les multiples vérités cachées qui se trouvent à l'intérieur.

Rendons grâce pour notre habileté à lire entre les lignes

Ne pas se laisser dépasser par la vie

Quelle est l'importance de ce que nous faisons et de ce que nous accomplissons pendant nos vies? Nous devons nous poser cette question primordiale. S'il existe des récompenses pour nos paroles et gestes positifs, soit dans cette vie présente ou après la mort physique, alors il semble très profitable d'agir et de parler de manière positive. Mais s'il n'y a rien d'autre qu'une mort mystérieuse et vide, rien de tout cela ne semble nécessaire.

Il semble évident pour plusieurs que le mystère de ce qui nous attend est une raison suffisante pour agir positivement. S'il nous arrivait de nous soustraire volontairement d'apprendre, tout au long de notre existence physique temporaire, certaines de ces réflexions sur la vie, où irions-nous au moment de notre mort physique?

Pourquoi avons-nous, en nous-mêmes, un moi intérieur qui nous murmure, nous guide et essaie de nous amener dans des directions positives? Pourquoi connaissons-nous la détresse et pourquoi glissons-nous dans des cycles négatifs lorsque nous évitons cette voix qui nous murmure? Serait-ce que notre véritable moi intérieur attend une certaine récompense ultérieure, une récompense qui n'est accordée que pour une vie bonne et adéquate?

Se peut-il alors, que ce que nous accomplissons dans la vie ne fasse aucune différence parce que nous ne faisons que retourner à la poussière? Si tel était le cas, et qu'il n'y avait pas de raison d'être — ou seulement une raison négative, au mieux poussiéreuse — alors il semblerait curieux que l'on existe tout simplement.

Il nous faut un dessein et un plan. En examinant notre vie en toute simplicité, nous pouvons observer tous les panneaux qui nous indiquent notre chemin. Et il existe un chemin qui en vaut la peine; nous le savons tous intuitivement. Certains d'entre nous choisissent de l'éviter temporairement, ou d'essayer une autre voie, mais reviennent toujours à ce chemin.

Nos vies servent plusieurs buts, et nous offrent de multiples possibilités éducatives qui nous permettent de monter les échelons de la vie. Lorsque nous aurons appris nos leçons, nous serons quotidiennement récompensés par les bénédictions de la vie.

Il est certain qu'une merveilleuse récompense attend ceux d'entre nous qui cherchent, frappent à la porte et demandent, mais il faut également du travail et aussi de la persévérance. Mais pour ceux qui remettent à plus tard et qui se laissent dépasser par la vie, ou qui s'affligent de mots ou gestes négatifs, une incertitude les attend dans l'avenir et éventuellement d'autres maux semblables.

Nous avons un but dans la vie, et nous devons apprendre à ne pas le laisser nous échapper. Faisons ce que nous croyons intuitivement être le mieux.

Rendons grâce pour une longue vie de gratifications

Les sentiers offrant une moindre résistance

Plusieurs chemins traversent cette jungle qu'est la vie, certains sont empêtrés de vignes coupantes et de branches pleines d'épines, d'autres s'enfoncent dans un bourbier et s'enlisent de plus en plus profondément. Mais d'autres pourtant sont dégagés et faciles, élargis par ceux qui y sont déjà passés.

Ces sentiers qui offrent une moindre résistance ont des lits de terre molle et fertile sur lesquels on peut marcher, et des arbres paradisiaques qui jettent un ombrage sur le chemin. Ils sont dépourvus de marais ou de marécages, de roches ou de troncs d'arbres, ou de scorpions et de serpents qui se cachent dans l'herbe. Leur chemin est un sol facile, bien nivelé, les quelques sommets et vallées y sont amusants à grimper. Au bout du chemin, un vase rempli d'or attend d'être découvert - récompense d'une vie complète.

Ces sentiers nous sont donnés par Dieu comme des routes pour découvrir notre véritable moi. Ils nous proposent des enseignements et des conseils à chacune des étapes du chemin, et des réflexions sur la vie pour alléger nos pas. Nous avons tous recherché ces sentiers joyeux dans nos vies, et certains les ont trouvés.

Lorsque nous connaissons l'existence de ces sentiers et que nous choisissons de ne pas y marcher, nous pouvons certainement nous attendre à une vie dure et fatigante. Tous les sentiers sont jalonnés de points de repère qui nous dirigent vers notre foyer, mais certains sont plus rudes que d'autres.

Chacun de nous doit rechercher les sentiers de la vie offrant une moindre résistance, et les suivre avec foi et confiance, en laissant couler le courant de la vie. Sachons reconnaître que, lorsque notre vie est facile, équilibrée, et réellement joyeuse, nous suivons l'un de ces sentiers bénis. C'est alors que nous devons abandonner nos directions remplies de crainte et laisser Dieu nous guider.

Rendons grâce pour les sentiers qui nous guident

Dresser un plan d'ensemble de notre vie

Si, dès maintenant, quelqu'un nous approchait et nous demandait de leur dire ce qu'est notre plan de vie, la plupart d'entre nous serions étonnés. Très peu d'entre nous avons conçu un plan d'action et d'accomplissement pour les rêves de notre vie. Qu'est-ce qu'un tel plan comporte? Un bon plan d'ensemble esquisse tous les comment, pourquoi, quoi, quand et où, pour l'accomplissement des buts de notre vie. Certains détails peuvent s'ajouter en chemin, mais nous devons au moins commencer avec un croquis.

Construire un tel plan met en mouvement nos engrenages et tourne nos roues vers la vie. Sans lui, nous ne pouvons que creuser un sillon incertain. C'est seulement en sachant ce que nous voulons de la vie et en connaissant tous les détails pour l'obtenir que nous aurons une intention et une direction. Si notre but est de savoir qui nous sommes, pourquoi nous sommes ici, d'où nous venons et où nous allons, nous n'avons qu'à suivre notre plan d'ensemble. Avec un plan d'ensemble, nous pouvons remplir nos vies.

Les réflexions sur la vie peuvent agir comme première ébauche de notre plan. En les suivant, tel un schéma, nous pouvons progresser plus facilement le long du plan d'ensemble détaillé de notre vie. Les réflexions sur la vie nous offrent plusieurs véhicules qui nous permettent de mieux nous connaître. Entre les lignes se trouvent des aperçus nous indiquant d'où nous venons et où nous allons. L'essence de ces réflexions proclame notre raison d'être. Fixons-nous comme but de nous imprégner de ces réflexions sur la vie et notre plan d'ensemble s'en trouvera construit.

Rendons grâce pour les plans d'ensemble

La mort est-elle la fin?

Où se terminent nos vies, ou finissent-elles vraiment? La mort existe-t-elle réellement? Allons-nous vivre un paradis ou un enfer, ou allons-nous tout simplement revenir? La plupart d'entre nous avons considéré ces questions qui défient la mort au moins une fois dans nos vies, nous demandant où tout cela devait se terminer.

Si nous devions simplement trouver notre fin à notre mort physique, quelle serait notre raison d'être? Nous devons avoir une vie à venir dans l'autre monde. Il semble plausible qu'il nous faille aller au ciel ou en enfer, mais pourquoi? Il semble bizarre que nous ne naissions que pour vivre ce que nous pouvons ici, pour ensuite vivre éternellement au ciel ou aux enfers. La possibilité de vies futures existe aussi mais, là encore, dans quel but? À moins que ce ne soit pour acquérir de l'expérience afin d'être mieux outillé pour des expériences futures plus exigeantes. Le ciel demande-t-il des individus expérimentés? Qu'en-est-il de l'enfer? Est-il possible que nous agissions comme serviteurs de Dieu au ciel, ou peut-être comme serviteurs d'un autre en enfer? Mais pourquoi Dieu aurait-il besoin de serviteurs?

Et si nous continuions notre éducation à perpétuité et que notre âme divine ou notre moi spirituel ne fasse qu'utiliser notre corps physique comme un véhicule temporaire pour finalement passer à un autre lorsque celui-ci serait usé? Mai où nous retrouverions-nous en définitive? Recevons-nous plus de responsabilités le long du chemin à chaque fois que nous gravissons des échelons dans notre éducation? Serait-ce pour cette raison que nous savons intuitivement qu'il nous faut avancer dans des directions positives si nous voulons progresser vers un palier supérieur? Pourquoi, lorsque nous prenons connaissance de certaines réflexions sur la vie, nous sentons-nous heureux et paisibles? Les enfants prodiges et les génies précoces sont-ils des individus qui ont connu des expériences antérieures et qui habiteraient un nouveau corps? Et qu'en est-il de ceux qui croient se souvenir d'une vie antérieure?

Tout cela est tellement confus. Une philosophie avance une théorie alors qu'une autre dit autre chose. En apparence du moins, il n'y a pas deux religions qui soient d'accord sur ces questions mystérieuses. Finirons-nous par connaître les réponses? Nous pouvons démontrer la valeur de chaque religion ou philosophie, mais qui pourra nous révéler ce qui est vrai? Est-ce une façon pour Dieu de jouer le jeu de la vie? Devons-nous attendre à la fin pour savoir? Mais si nous attendons la fin, qui n'existe peut-être pas, ne remettons-nous pas nos vies à plus tard?

Nous parviendrons tous à nos propres conclusions. Et, plus nous grimperons les échelons universels de la vie, plus nous trouverons probablement des réponses différentes à ces questions. Mais il est possible que, comme c'est le cas pour une échelle logarithmique en mathématiques, nous ne puissions en avoir qu'un vague aperçu, une compréhension bien limitée, sans jamais vraiment savoir. Notre véritable moi se dévoile petit à petit. Si nous voulons saisir ce qui se passe au moment de notre mort physique, nous devons comprendre qui nous sommes. Nous devons en venir à connaître et aimer notre véritable moi divin, et à découvrir les buts divins de notre vie.

Rendons grâce pour l'éternité

Rendons grâce pour ces réflexions sur la vie

Nous prenons tous connaissance de plusieurs réflexions sur la vie. Chacune d'elles, une fois comprise, offre des possiblités d'une vie plus gratifiante. En prenant connaissance de ces réflexions, nous commençons à avancer vers les directions positives de la vie. En prenant totalement conscience de leur signification, nous ajoutons à notre but de façon précise. En constatant leur pouvoir, nous faisons le plein pour notre voyage. Finalement, en prenant la responsabilité d'agir selon leur sagesse, nous bénissons chaque étape de notre chemin.

Vivre est un exercice de toutes ces réflexions sur la vie et nous ne pouvons vivre paisiblement sans les appliquer. Lorsque nous suivons nos guides intérieurs qui insufflent ces réflexions à notre conscience extérieure, nous sommes en harmonie avec la vie.

Nous avons toujours des choix. Et peu importe ceux pour lesquels nous optons, nous devons être prêts à en accepter les conséquences. Nous devons constamment choisir entre le sentier qui offre le moins de résistance et celui qui en offre le plus. En suivant nos guides, nous pouvons apprendre nos leçons par la méthode facile et éviter les multiples traquenards de la vie.

Se frayer un chemin à coups de hache à travers les jungles de la vie sans un guide, c'est suffoquer dans notre propre existence. Ceux qui ont dégagé le chemin pour les autres leur ont permis un passage plus facile. En nous instruisant de nos réflexions sur la vie, nous pouvons suivre ce chemin éclairci, ouvrir nos yeux et notre cœur à la route facile, ensoleillée, semer nos grains de service le long du chemin, et en récolter les récompenses bénies.

Sans aucun doute, nous avons tout ce dont nous avons besoin, mais nous devons apprendre à observer ce qui se trouve sur notre chemin. Nos expériences passées, présentes et futures nous offrent les moyens parfaits de comprendre ces réflexions. Il n'en tient qu'à nous de reconnaître les nombreuese grâces de la vie.

Rendons grâce pour ces réflexions sur la vie

Remercier Dieu dans sa divinité

Maintenant que nous avons appris quelques-unes des réflexions sur la vie, nous avons la responsabilité de les mettre en pratique. Comme étudiants de la vie, nous devons passer nos examens avant de commencer à récolter nos bienfaits et récompenses infinis.

Nous étudions dans une université qui contient des niveaux infinis et qui offre une maîtrise de la vie comme conclusion sans fin; au cours de ce curriculum fondé sur l'expérience, nous devons jouer plusieurs rôles et visiter plusieurs domaines. Nos cycles de vie n'en sont que les méthodes d'apprentissage; nos émotions, les tests.

En définitive, nous passerons tous chacun des niveaux avec beaucoup d'honneurs. Il n'y a qu'un doyen qui nous retienne: nous-même.

Soyons reconnaissants pour cette patience divine et cette occasion d'apprendre

«Dans la nature profonde de l'homme
se trouve enfouie la loi de la vie
qu'il découvrira un jour et dont il fera
un usage conscient.
De lui-même, il se guérira,
se rendra heureux et prospère et
vivra dans un monde entièrement différent,
car il aura découvert que la vie vient
du dedans et non du dehors.»

Ralph Waldo Emerson

La pensée positive et la définition d'un but

**Potentiel matériel
et spirituel
illimité de l'homme**

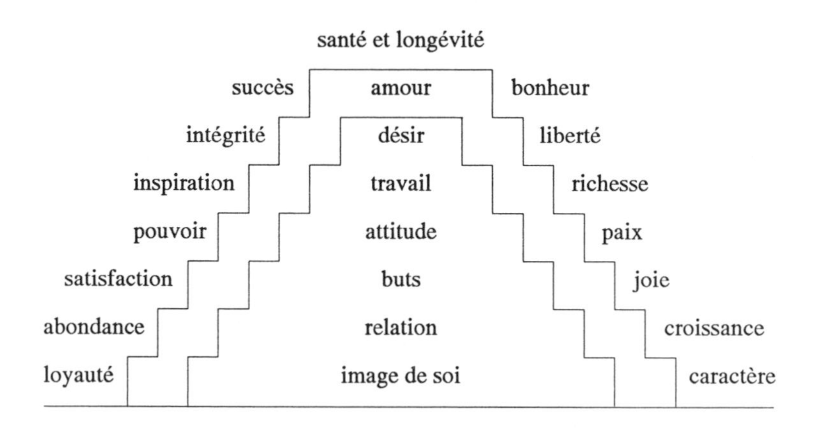

Pensée négative	**Pensée positive**
crainte	confiance
doute	espoir
insécurité	sécurité
appréhension	foi
défaite	enthousiasme
tristesse	sérénité
remords	honnêteté
haine	amour
frustration	temps
solitude	amis
ennui	tranquillité
tension	détente
problème	compréhension
perte	investissement
désastre	occasion
vacillation	solidité
fatigue	vigueur

La pensée positive et la définition d'un but

* «La plus grande découverte de ma génération, c'est que les êtres humains peuvent transformer leur vie en transformant leur attitude d'esprit».
* «La maladie la plus mortelle au monde: le durcissement des attitudes».
* «L'homme est le reflet de ses pensées».
* «Si c'est à faire, c'est à moi de le faire».
* «Tu es là où tu es, car c'est exactement là où tu veux être».
* «Un optimiste, comme vous le savez probablement, est une personne qui, lorsque ses souliers sont usés, se dit qu'elle est à nouveau sur ses deux pieds».
* «Tu ériges ce que tu attends».
* «Fais attention à ce que tu veux, car tu l'obtiendras».
* «Nous avons trouvé l'ennemi, et c'est nous-même».
* «La seule limite que tu possèdes, c'est celle que tu t'imposes à toi-même».
* «La seule différence entre un gros canon et un petit, c'est que le gros canon en est un petit qui a continué de tirer».
* «La croyance en des limites crée des gens limités».
* «Tu feras un piètre autre, mais tu es le meilleur toi-même de ta vie».
* «Tu n'es pas supérieur, tu n'es pas inférieur, tu es toi-même».
* «Si ce que tu fais ne fonctionne pas, fais autre chose».
* «Tu dois faire plus, pour ta fortune, que de traîner à l'attendre».

* «Si tu ne l'utilises pas, tu le perds».
* «Ce que je craignais grandement m'est arrivé».
* «Tu obtiens le meilleur des autres lorsque tu donnes le meilleur de toi-même».
* «Tu ne peux voir chez les autres que ce qui se trouve au-dedans de toi».
* «Une image vaut mille mots».
* «L'esprit complète toute image qui lui est fournie».
* «Tu peux obtenir tout ce que tu veux dans la vie à condition d'aider les autres à obtenir ce qu'ils veulent».
* «Si nous ne commençons pas, il est certain que nous n'arriverons jamais».
* «Lorsque les temps sont durs, les tenaces continuent».
* «Il est plus facile de parvenir au sommet en allant au fond des choses».
* «Les chaînes de l'habitude sont trop faibles pour être ressenties jusqu'à ce qu'elles soient trop fortes pour être rompues».
* «Pour chaque problème, il existe une solution».
* «Crois et sois vainqueur».
* «La confiance est le bras droit du succès».
* «Le succès est la ligne de la moindre résistance alors que l'échec est la ligne de la moindre persistance».
* «Je veux, je peux, je sais, je suis».
* «La règle des moyennes est toujours du côté des penseurs positifs».
* «Ton meilleur ami est celui qui fait ressortir le meilleur de toi-même».

«Nos extrémités se joignent par un lien commun
Avec l'une, on s'assoit; avec l'autre, on pense
Le succès dépend de l'extrémité que nous utiliserons
Pile, nous gagnons et face, nous perdons.»

Relations personnelles et communications humaines

* «S'aimer, ce n'est pas se regarder l'un l'autre, c'est regarder ensemble dans la même direction».
* «Les relations humaines n'ont ni début ni fin; elles ne peuvent qu'être reconnues et transformées».
* «Laissez des espaces dans votre union, car les piliers du temple se tiennent à distance l'un de l'autre et les cyprès ne grandissent pas dans l'ombre l'un de l'autre».
* «L'amour, c'est quand je m'occupe de ta relation avec ta propre vie plutôt que de ta relation avec moi-même».
* «La communication commence par la capacité d'écouter, d'écouter sans jugement».
* «Je ne puis t'atteindre, et toi non plus, à moins que nous n'ayons une juste appréciation de nos réalités personnelles respectives».
* «La sexualité, c'est deux corps qui s'amusent ensemble avec joie; l'erreur que nous faisons, c'est d'inviter nos esprits à la fête».
* «En fin de compte, le meilleur ami que tu possèdes, c'est toi; apprends à connaître et apprécier la personne avec qui tu as couché toute ta vie».
* «Dans une amitié équilibrée, chacun apporte à l'autre le support nécessaire à sa démarche personnelle; chacun contribue à la méthode d'apprentissage de l'autre».
* «Ne résiste pas à ton expérience; quelle qu'elle soit, embrasse-la».

* «Reconnais en l'appréciant la voie qui a fonctionné; reconnais avec compassion celle qui n'a pas fonctionné».
* «Le bien et le mal font partie des penchants les plus dévastateurs que l'on puisse rencontrer».
* «La force de quelqu'un ne devrait pas lui donner l'absolution pour ses faiblesses».
* «J'ai besoin du monde et des gens comme un miroir pour me regarder moi-même».
* «Ce n'est peut-être pas facile, mais ce n'est pas impossible».
* «En réalité, notre image n'est jamais statique».
* «Tous le débuts sont faciles; ce sont les étapes ultimes qui sont les plus difficiles à escalader et les moins souvent franchies».
* «Les mots doux sont préférables aux mots durs; la mer est attirée par une lune fraîche et non par un soleil ardent».
* «Il n'y a pas deux personnes qui ressentent les choses de la même façon».
* «Une rivière sur laquelle nous avons construit un barrage exerce une plus grande pression sur ses rives qu'une autre qui coule librement».
* «Plus tu donneras librement, plus tu recevras librement».
* «Les enseignements qui t'aident le plus sont ceux qui te font le plus réfléchir».
* «Chaque tentation est une grâce déguisée».
* «Seul? Pourquoi serais-je seul? Notre planète n'est-elle pas dans la voie lactée?».
* «Les larmes et les rires sont deux puissants guérisseurs».
* «Aussitôt que tu essaies de donner de toi-même, tu en reçois dix fois plus».

* «Il n'y a pas une maladie qui convienne à tous».
* «La question de savoir qui a raison dépend de notre cadre de référence».
* «Il n'y a pas deux personnes qui auront exactement la même idée sur le commencement et la fin des détails pertinents».
* «Ce problème aussi, quand il sera résolu, sera simple».

L'équilibre émotif

* «Dieu ne connaît pas de cas désespérés».
* «Les yeux n'ont guère besoin de mots pour confesser les secrets du cœur».
* «Les yeux sont le miroir de l'âme».
* «Les pleurs et les larmes sont de bons exutoires émotifs et ils sont également nos meilleurs guérisseurs».
* «Ris de toi-même».
* «Ouvre tes fenêtres (yeux) et laisse entrer le soleil».
* «Ne regarde pas en arrière, même si c'est pour te rappeler le bon vieux temps; continue à marcher».
* «L'esprit est son propre habitacle, et il peut de lui-même faire d'un ciel un enfer, ou d'un enfer un ciel».
* «Lorsque le souffle erre irrégulièrement, l'esprit est aussi instable; lorsque le souffle est calme l'esprit l'est aussi».
* «Le névrosé construit des châteaux dans les nuages, le psychotique y vit et le psychiatre encaisse le loyer».
* «N'activez pas le feu avec l'épée».
* «Critiquer est futile».
* «Il n'y a pas de croissance sans douleur; si tu n'as pas mal, tu ne grandis pas».
* «Chacun a sa propre définition de la normalité; habituellement, il s'agit de soi-même».
* «Connais-toi toi-même; si nous n'apprenons pas à nous connaître le plus intimement possible, nous sommes limités dans notre choix».
* «L'envie, c'est l'ignorance; l'imitation, c'est le suicide».

* «Les gens ne sont jamais innocents de ce qui leur arrive».
* «Tu es le président de ton bien-être et tu as la responsabilité de ta propre vie».
* «Tu es motivé par un désir d'être heureux, car le bonheur est un but pout tous».
* «Il est plus difficile de se tenir debout que de bouger».
* «Obéis à tes instincts et ton intuition véritables».
* «Toutes les expériences ont le potentiel de nous enseigner quelque chose sur nous-mêmes et sur la vie».
* «La vie est éternellement divertissante et merveilleuse».
* «Le bambou, dans sa sagesse, n'essaie jamais de demeurer rigide face à des événements tendus ou perturbants».
* «L'amour, ce grand guérisseur, ne peut couler là où il y a de la controverse et de la résistance».
* «Aime-toi toi-même; ne sois pas si critique de ta propre personne».
* «La joie est le signe le plus infaillible de la présence de Dieu».
* «Bonheur ou misère, santé ou maladie, liberté ou esclavage dépendent tous de la manière avec laquelle nous conduisons nos vies et nos activités quotidiennes; notre conduite est dictée par notre jugement. Celui-ci, en retour, est le résultat de notre compréhension de la structure du monde, de l'univers infini de Dieu».

Les syndromes de crainte et de souci

* «La crainte est le plus grand mal qui puisse surgir de nos imaginations».
* «La témérité est le premier échelon sur l'échelle de la liberté».
* «Les grands hommes sont ceux qui ne connaissent jamais la peur».
* «L'homme qui n'a pas peur s'appelle un héros».
* «La peur du danger est dix mille fois plus terrifiante que le danger lui-même».
* «La peur inhibe le mouvement».
* «Pense au doute et à la peur, et tu connaîtras l'échec».
* «Le moi ouvert dit: «Je ressens», et le moi défensif dit: «J'ai peur de ressentir».
* «Finalement, il m'est venu que de se soucier n'aide jamais à résoudre un problème, il obstrue plutôt la voie à des solutions intelligentes».
* «Se faire du souci, c'est admettre la défaite avant même la bataille».
* «La peur est l'ennemie du succès».
* «Isole ta peur et entreprends les actions nécessaires».
* «L'action guérit la peur».
* «L'action confiante engendre la pensée confiante».
* «Lorsque vous battez votre peur des limites d'âge, vous ajoutez des années à votre vie, en plus du succès».
* «Chaque minute qu'une personne dépense à se soucier de la mort est une minute pendant laquelle elle aurait mieux fait d'être morte».

* «La non-violence et la lâcheté ne peuvent aller ensemble, parce que la non-violence est l'expression parfaite de l'amour qui chasse la peur».
* «Rien ne peut te faire mal ou te faire peur aussi longtemps que tu demeures armé de la force secrète et puissante qu'est la paix».
* «N'aie pas peur de donner gratuitement de ton bien, la nature et Dieu t'en fourniront».
* «Les efforts personnels sont, en dernier lieu, la seule voie ouverte à tous».
* «La clé, c'est le calme intérieur».
* «Abandonner, c'est abandonner Dieu».

Le pouvoir guérisseur enfoui dans notre cerveau

Chaque décennie nous amène de grandes réalisations et de «nouvelles» découvertes. En médecine seulement, d'incroyables enjambées ont été parcourues depuis les années 70. Grâce à d'étonnantes percées dans les disciplines de la physique, la neurologie, la biochimie, et de l'esprit, nous avons accompli le saut quantique vers notre réalisation ultime: l'utilisation de nos esprits à leur pleine capacité.

Chaque jour, des découvertes prouvent que nous sommes dotés d'un potentiel illimité auquel la plupart d'entre nous, nous contentons de rêver. La recherche à propos des fonctions de notre cerveau est variée, complexe et excitante. Plus chacune des disciplines élargit ses horizons et s'étend dans de nouvelles directions, plus ces domaines scientifiques commencent à se superposer et à s'entrelacer. Il est clair que le tout intégré est plus grand que la somme de ses parties. Cette convergence des connaissances nous rapproche de la réalisation de notre être.

Par exemple, il a été démontré que notre force vitale est de l'électricité biologique. La physique de nos cellules démontre une complexité d'ondes vibratoires qui interagissent entre elles. La biochimie de nos cellules nous montre une hiérarchie d'interactions magnétiques séquentielles. Le réseau neurologique qui relie chacune de ces cellules conduit cette symphonie d'événements. Franchir le seuil de la recherche sur le cerveau nous a amenés à la photographie de la pensée et nous a permis d'ouvrir les barrières de nos incroyables esprits. Des premières étapes de l'ère de la rétroaction jusqu'à la compréhension de notre processus de visualisation, les données amassées par des disciplines scientifiques se chevauchent et appuient la théorie de la capacité mentale illimitée.

Alors que des scientifiques conçoivent de nouveaux mécanismes pour tester et établir les fonctions de nos esprits, ceux qui exercent les arts de guérison font une démarche progressive dans l'application de ces découvertes à la santé. Des explications à propos des mystères de l'effet placebo (remède factice) et des rémissions spontanées sont en train de se dévoiler. Il apparaît que nos esprits sont des contrôleurs-maîtres, capables d'altérer les processus physiques, biochimiques et neurologiques de nos corps. Le vieil adage: «L'homme est le reflet de ses pensées» devient plus facile à comprendre. Des modifications jusqu'à la surveillance continue des cas cardiovasculaires jusqu'à l'amélioration de la réparation des tissus, la guérison mentale récolte enfin le respect qu'elle mérite depuis si longtemps.

Nos esprits, entraînés de façon appropriée, sont capables d'agir sur des réactions enzymatiques ou moléculaires individuelles. Cette application se révèle de plus en plus utile dans plusieurs formes de maladies. Mais l'entraînement doit être maintenu: «Ce que tu n'utilises pas, tu le perds.» On a prétendu que la plupart des gens n'utilisent que 10% de leur capacité mentale, mais ce pourcentage est arbitraire, étant donné que 10% de l'infinité ne revêt aucune signification concrète.

Si une pression continuelle est appliquée sur notre peau, elle réagira, s'adaptera et compensera cette pression en devenant calleuse. Si des souliers à talons hauts poussent continuellement nos corps vers l'avant, en des postures qui modifient le port habituel, des soutiens compensatoires naîtront dans nos matrices osseuses. Finalement, si des pressions et des tensions écrasent nos capacités mentales, nos esprits non entraînés compensent avec des barrières malsaines. Ce sont ces barrières malsaines qui nous empêchent d'atteindre nos potentiels illimités. Les abattre est l'une des plus grandes réalisations que nous puissions connaître. En constatant que nos vies peuvent être améliorées par le contrôle mental supérieur de nos tensions quotidiennes de façon à agir plutôt que réagir; nous pouvons dès lors maîtriser les tensions petit à petit et étendre encore plus avant nos capacités mentales.

Il semble que nous ayons deux niveaux d'esprit: l'esprit ancien inférieur qui répond ou simplement réagit, et l'esprit supérieur qui agit selon notre volonté. C'est cet esprit supérieur que nous devons entraîner, étendre et développer. C'est là que résident les clés de notre potentiel illimité.

Alors que nous complétons notre expérience des années 80 et que nous posons les pieds pour amorcer une nouvelle décennie de connaissances, nos esprits se dévoilent et nos capacités mentales se déclenchent. Des maladies déclarées incurables sont guéries de l'intérieur, et les disciplines scientifiques de l'avenir seront des super-sciences de savoir-faire mental, englobant une sagesse infinie. Il est certain que nos esprits incroyables sont illimités.

Rendons grâce pour notre potentiel illimité

«Des maladies déclarées incurables seront guéries de l'intérieur.»

CHEZ LE MÊME ÉDITEUR :

Accomplissez des miracles *Hill, Napoleon*
Actions de gagnants *Delmar, Ken*
Agenda du succès *Un monde différent ltée*
Agenda du succès (format poche)
Aller au bout de soi *Furman, Richard*
Améliorez la qualité de votre vie *Schuller, Robert H.*
Après la pluie, le beau temps ! *Schuller, Robert H.*
Art d'être vraiment heureux (L') *Peale, N.V. et Blanton S.*
Art de motiver les gens (L') *Losoncy, Lewis E.*
Art de réussir (L') *Adams, Brian*
Art de se faire accepter (L') *Girard, J. et Casemore, R.*
Assurez-vous de gagner *Waitley, Denis*
Attitude d'un gagnant *Waitley, Denis*
Attitude fait toute la différence *Boling, Dutch*
Atteindre ses objectifs *Un monde différent ltée*
Bien vivre sa vie *Ouimet, Denis*
Cadeau le plus merveilleux au monde (Le) *Mandino, Og*
Cercle des gagnants (Le) *Conn, Charles P.*
Clés pour l'action *Diotte, Serge*
Cinéma mental *Peale, Norman V.*
Comment contrôler votre temps et votre vie *Lakein, Alan*
Comment penser en millionnaire et s'enrichir *Hill, Howard E.*
Comment réussir en affaires *Getty, John Paul*
Comment se faire des amis facilement *Teear, C.H.*
Comment se fixer des buts et les atteindre *Addington, Jack E.*
Communiquer : un art qui s'apprend *Langevin-Hogue, Lise*
Conscience de soi (La) *Sénéchal, Gilles*
Croyez *DeVos, Richard M.*
Courage d'être riche (Le) *Haroldsem, Mark*
Cybernétique de la vente (La), tomes I, II et III *Adams, Brian*
De l'échec au succès *Bettger, Frank*
Développez habilement vos relations humaines *Giblin, L.T.*
Développez votre confiance et puissance avec les gens
Giblin, L.T.
Devenez la personne que vous rêvez d'être *Schuller, Robert H.*
Devenez une personne extraordinaire dans un monde ordinaire *Schuller, Robert A.*
Devenir riche *Getty, John Paul*
Devenir le meilleur *Waitley, Denis*
Dites oui à votre potentiel *Ross, Skip*
Dix jours vers une vie nouvelle *Edwards, William E.*
Efficacité dans le travail (L') *Bliss, Edwin C.*
Elvis est-il vivant ? *Brewer-Giorgio, Gail*

En route vers le succès *Desrosby, Rosaire*
Entre deux vies *Whitton, Joel L. et Fisher, Joe*
Enthousiasme fait la différence (L') *Peale, Norman V.*
Étapes vers le sommet (Les) *Ziglar, Zig*
Étoffe d'un gagnant (L') *Grant, Dave*
Excellence dans le leadership (L') *Goble, Frank*
Facteur réussite (Le) *Lecker, Sidney*
Filon d'or caché au fond de votre esprit (Le) *Norvel, Anthony*
Fonceur (Le) *Kyne, Peter B.*
Fortune en dormant (La) *Sweetland, Ben*
Fortune... sans attente (La) *Kopmeyer, M.R.*
Homme est le reflet de ses pensées (L') *Allen, James*
Homme le plus riche de Babylone (L') *Clason, George S.*
Homme miracle (L') *Goodman, Morris*
Homme qui voulait devenir millionnaire (L') *Fisher, Mark*
Images de gagnants *Shook, Robert L.*
Je vous défie *Danforth, William H.*
Jouez gagnant *Glass, Bill*
Joseph Murphy se raconte à Bernard Cantin *Cantin, Bernard*
Lois du succès (Les), tomes I, II et III *Hill, Napoleon*
Lois du succès (Les) ensemble coffret *Hill, Napoleon*
Lois dynamiques de la prospérité (Les) *Ponder, Catherine*
Magie de croire (La) *Bristol, Claude M.*
Magie de penser succès (La) *Schwartz, David J.*
Magie de s'auto-diriger (La) *Schwartz, David J.*
Magie de vivre ses rêves (La) *Schwartz, David J.*
Magie de voir grand (La) *Schwartz, David J.*
Manager de la nouvelle génération (Le) *Ouimet, Denis*
Mémorandum de Dieu *Mandino, Og*
Mission : Succès *Mandino, Og*
Mon livre *Un monde différent ltée*
Motivez les gens à agir *Conklin, Robert*
Obtenez des résultats positifs *Robert, Cavett*
Oui au succès ! il ne vous attaquera pas ! *Victor, Jody*
Parole d'honneur *Conn, Charles P.*
Parrainage d'équipes (Le) *Bryson, O.J.*
Pensée positive (La) *Peale, Norman V.*
Pensez possibilités ! *Schuller, Robert H.*
Performance maximum *Ziglar, Zig*
Personnalité Plus *Littauer, Florence*
Plan Templeton (Le) *Templeton, John Marks*
Plus grand miracle du monde (Le) *Mandino, Og*
Plus grand secret du monde (Le) *Mandino, Og*
Plus grand succès du monde (Le) *Mandino, Og*
Plus grand vendeur du monde (Le), partie 2, suite et fin
Mandino, Og

Plus grande chose au monde (La) *Drummond, Henry*
Plus haut, toujours plus haut *Schuller, Robert H.*
Potentiel illimité *Proctor, Bob*
Pour le plaisir d'offrir *Gilbert, Ghislaine*
Poursuis tes rêves *Burns, Maureen*
Pouvoir ultime (Le) *Grant, Dave*
Principes de base du succès (Les) Waitley, Denis
Prospérité... récoltez-la en abondance (La) *Addington, Jack et Cornelia*
Psychocybernétique et les jeunes (La) *Maltz, Maxwell*
Puissance cosmique (La) *Murphy, Joseph*
Quand on veut, on peut ! *Peale, Norman V.*
Réincarnation : Il faut s'informer (La) *Fisher, Joe*
Relations humaines, secret de la réussite (Les) *Wheeler, Elmer*
Rendez-vous au sommet *Ziglar, Zig*
Rêve possible (Le) *Conn, Charles P.*
S'aimer soi-même *Schuller, Robert H.*
Se prendre en main *Nadler, Beverly*
Secrets de la confiance en soi (Les) *Anthony, Robert*
Secrets des millionnaires (Les) *Steward, Hal D.*
Secrets du succès dans la vente (Les) *Gyger, Armand*
Secrets pour conclure la vente (Les) *Ziglar, Zig*
Semences de grandeur *Waitley, Denis*
Sens de l'organisation (Le) *Winston, Stephanie*
Stratégies de prospérité *Rohn, Jim*
Stratégies pour conquérir la personne de vos rêves *McKnight, Thomas W.*
Stress dans votre vie (Le) *Powell, Ken*
Succès d'après la méthode de Glenn Bland (Le) *Bland, Glenn*
Succès de A à Z, tomes I et II (Le) *Bienvenue, André*
Succès n'a pas de fin, l'échec n'est pas la fin ! (Le) *Schuller, Robert H.*
Télépsychique (La) *Murphy, Joseph*
Todo es posible *Schuller, Robert H.*
Tout est possible *Schuller, Robert H.*
Transformez votre univers en 12 semaines *De Moss, A et Enlow, D.*
Trésor de joie et d'enthousiasme *Peale, Norman V.*
Triomphez de vos soucis *McClure, Mary et Goulding, Robert L.*
Trois clés du succès (Les) *Beaverbrook, Lord*
Tutto E Possibile
Un *Bach, Richard*
Un guide de maîtrise de soi *Peale, Norman V.*
Un nouvel art de vivre *Peale, Norman V.*

Une meilleure façon de vivre *Mandino, Og*
Une merveilleuse obsession *Douglas, Loyd C.*
Une puissance infinie pour une vie enrichie *Murphy, Joseph*
Une puissance miraculeuse attire des richesses infinies *Murphy, Joseph*
Université du succès (L'), tomes I, II et III *Mandino, Og*
Vente : Étape par étape (La) *Bettger, Frank*
Vente : Une excellente façon de s'enrichir (La) *Gandolfo, Joe*
Vie de Dale Carnegie (La) *Kemp, Giles et Claflin, Edward*
Vie est magnifique (La) *Jones, Charles E.*
Vivez en première classe *Thurston Hurst, Kenneth*
Vivre c'est donner *Yager, Birdie et Wead, Gloria*
Votre beauté en couleurs *Jackson, Carole*
Votre désir brûlant *Atkinson, W.W. et Beals, Edward E.*
Votre droit absolu à la richesse *Murphy, Joseph*
Votre foi totale *Atkinson, W.W. et Beals, Edward E.*
Votre force intérieure = T.N.T. *Bristol, Claude M. et Sherman, Harold*
Votre guide quotidien 1991 *MacIntire, Cord*
Votre passe-partout vers la richesse *Hill, Napoleon*
Votre plus grand pouvoir *Kohe, J. Martin*
Votre pouvoir personnel *Atkinson, W.W. et Beals, Edward E.*
Votre puissance créatrice *Atkinson, W.W. et Beals, Edward E.*
Votre subconscient et ses pouvoirs *Atkinson, W.W. et Beals, Edward E.*
Votre volonté de gagner *Atkinson, W.W. et Beals, Edward E.*

CASSETTES

Après la pluie, le beau temps ! *Schuller, Robert H.*
Narrateur : Jean Yale
Assurez-vous de gagner *Waitley, Denis*
Narrateur : Marc Fortin
Comment attirer l'argent *Murphy, Joseph*
Narrateur : Mario Desmarais
Comment contrôler votre temps et votre vie *Lakein, Alan*
Narrateur : Gaétan Montreuil
Comment se fixer des buts et les atteindre *Addington, Jack E.*
Narrateur : Jean Fontaine
De l'échec au succès *Bettger, Frank*
Narrateur : Robert Richer
Fortune à votre portée (La) *Conwell, Russell H.*
Narrateur : Henri Bergeron
Homme est le reflet de ses pensées (L') *Allen, James*
Narrateur : Henri Bergeron
Je vous défie ! *Danforth, William H.*
Narrateur : Pierre Bruneau

Magie de croire (La) *Bristol, Claude M.*
Narrateur : Julien Bessette

Magie de penser succès (La) *Schwartz, David J.*
Narrateur : Ronald France

Magie de voir grand (La) *Schwartz, David J.*
Narrateur : Marc Bellier

Mémorandum de Dieu (Le) *Mandino, Og*
Narrateur : Roland Chenail

Plus grand vendeur du monde (Le), 1re partie *Mandino, Og*
Narrateur : Guy Provost et Marc Grégoire

Plus grand vendeur du monde (Le), 2e partie, suite et fin
Mandino, Og
Narrateur : Guy Provost et Marc Grégoire

Puissance de votre subconscient (La), parties I et II
Murphy, J.
Narrateur : Henri St-Georges

Réfléchissez et devenez riche *Hill, Napoleon*
Narrateur : Henri Bergeron

Rendez-vous au sommet *Ziglar, Zig*
Narrateur : Alain Montpetit

Votre plus grand pouvoir *Kohe, J. Martin*
Narratrice : Christine Mercier

Cartes de motivation – Vertes
Cartes de motivation – Bleues
Cartes de motivation et cassettes : taxe en sus

En vente chez votre libraire ou à la maison d'édition
Prix sujets à changement sans préavis

Achevé d'imprimer
en décembre 1990
MARQUIS
Montmagny, Québec, Canada